Math in Focus

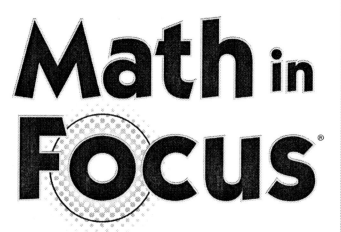

Matemáticas de Singapur de Marshall Cavendish

Práctica adicional

Autor
Bernice Lau Pui Wah

Marshall Cavendish
Education

Distribuidor en Estados Unidos

**Houghton
Mifflin
Harcourt**

© 2008 Marshall Cavendish International (Singapore) Private Limited
© 2015 Marshall Cavendish Education Pte Ltd
(Formerly known as Marshall Cavendish International (Singapore) Private Limited)

Published by Marshall Cavendish Education
Times Centre, 1 New Industrial Road, Singapore 536196
Customer Service Hotline: (65) 6213 9444
US Office Tel: (1-914) 332 8888 | Fax: (1-914) 332 8882
E-mail: tmesales@mceducation.com
Website: www.mceducation.com

Distributed by
Houghton Mifflin Harcourt
222 Berkeley Street
Boston, MA 02116
Tel: 617-351-5000
Website: www.hmheducation.com/mathinfocus

First published 2015

Math in Focus® Extra Practice 3A
ISBN 978-0-544-20797-4

Printed in the United States of America

1 2 3 4 5 6 7 8   1401   20 19 18 17 16 15
4500465467   A B C D E

Contenido

Capítulo 4

Restas hasta 10,000

Capítulo 5

Modelos de barras: Suma y resta

Capítulo 6

Tablas de multiplicación de 6, 7, 8 y 9

Presentación de

Math in Focus®

Práctica adicional

Los libros de *Práctica adicional 3A y 3B* se escribieron para complementar *Math in Focus®: Matemáticas de Singapur de Marshall Cavendish*, Grado 3. Estos libros proporcionan ejercicios adicionales de práctica, similares a los ejercicios de práctica que hay en el Libro del estudiante o en el Cuaderno de actividades para estudiantes a nivel.

Los libros de *Práctica adicional* ofrecen una gran variedad de preguntas para reforzar los conceptos que se han enseñado. Además, en las páginas con la sección ¡Ponte la gorra de pensar! se incluyen preguntas que presentan retos. En esas páginas hay muchas oportunidades para resolver problemas no rutinarios que sirven para reforzar las destrezas de razonamiento crítico.

Los ejercicios de *Práctica adicional* se pueden asignar como tarea para la casa o se pueden usar para trabajar durante la clase. Estos libros están diseñados para los estudiantes que necesitan más práctica, de manera que adquieran seguridad en sus conocimientos, y para aquellos, que, aunque están seguros de sus conocimientos, buscan la excelencia.

Los números hasta 10,000

Lección 1.1   Contar

Escribe en forma normal.

1.   cinco mil cinco _____

2.   tres mil veintinueve _____

3.   siete mil cuatrocientos _____

4.   nueve mil novecientos diecinueve _____

5.   ocho mil ochenta y ocho _____

Escribe los números en palabras.

6.   6,900

_____

7.   3,077

_____

8.   4,621

_____

9.   2,198

_____

Completa los espacios en blanco.

Ejemplo

Millares	Centenas	Decenas	Unidades

___5___ millares, ___7___ centenas, ___2___ decenas y ___9___ unidades = 5,729

10.

Millares	Centenas	Decenas	Unidades

_____ millares, _____ centenas, _____ decenas y _____ unidades = _____

11.

Millares	Centenas	Decenas	Unidades

_____ millares, _____ centenas, _____ decenas y _____ unidades = _____

Completa cada patrón numérico.

12.   3,665   3,765   3,865   _____   _____   _____

13.   7,523   7,623   7,723   _____   _____   _____

14.   1,798   2,798   _____   _____   _____

15.   4,321   5,321   _____   _____   _____

16.   3,894   3,884   _____   _____   _____

17.   5,762   5,752   _____   _____   _____

18.   8,205   7,205   _____   _____   _____

19.   6,127   5,127   _____   _____   _____

Escribe los números que faltan.

20.   10 más que 8,905 es igual a _____.

21.   100 más que 9,327 es igual a _____.

22.   1,000 más que 7,365 es igual a _____.

23.   10 menos que 6,738 es igual a _____.

24.   100 menos que 5,861 es igual a _____.

25.   1,000 menos que 8,495 es igual a _____.

Lección 1.2   Valor posicional

Escribe los números que faltan.

1.

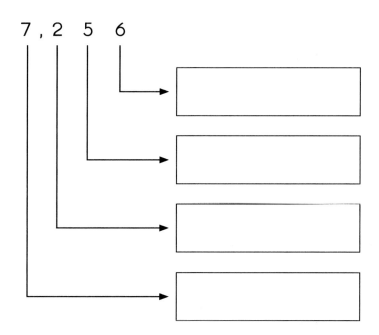

7 , 2   5   6

2.   En 8,349,

el dígito 3 representa _____.

el dígito 9 representa _____.

el dígito 8 representa _____.

el dígito 4 representa _____.

Completa los espacios en blanco. Usa la tabla de valor posicional como ayuda.

Millares	Centenas	Decenas	Unidades
2	6	9	8

3. En 2,698, el dígito 9 está en el lugar de _____.

El valor del dígito es _____.

4. En 2,698, el dígito _____ representa 600.

Está en el lugar de _____.

5. En 2,698, el valor de 2 es _____ millares.

Está en el lugar de _____.

6. En 2,698, el dígito 8 está en el lugar de _____.

Representa _____.

Escribe los números que faltan.

7. 4,908 = 4,000 + _____ + 8

8. 2,365 = _____ + 300 + 60 + 5

9. 7,068 = 7,000 + 60 + _____

10. _____ = 3,000 + 100 + 90 + 2

11. _____ = 1,000 + 800 + 80 + 9

Lección 1.3   Comparar y ordenar números

Completa los espacios en blanco.
Usa las tablas de valor posicional como ayuda.

1.

Millares	Centenas	Decenas	Unidades

_____ es 10 más que 2,703.

2.

Millares	Centenas	Decenas	Unidades

_____ es 100 menos que 4,666.

3.

Millares	Centenas	Decenas	Unidades

_____ es 1,000 más que 5,256.

Completa los espacios en blanco.

4. _____ es 80 más que 4,020.

5. _____ es 200 más que 8,100.

6. _____ es 4,000 más que 4,875.

7. _____ es 60 menos que 8,988.

8. _____ es 100 menos que 7,140.

9. _____ es 2,000 menos que 9,533.

Completa los espacios en blanco.

10. _____ más que 3,285 es igual a 3,295.

11. _____ más que 3,950 es igual a 4,350.

12. _____ más que 2,854 es igual a 5,854.

13. _____ menos que 3,036 es igual a 3,016.

14. _____ menos que 7,298 es igual a 7,198.

15. _____ menos que 9,382 es igual a 8,382.

Completa los espacios en blanco.

16. 5,555 es _____ más que 5,055.

17. 8,835 es _____ más que 6,835.

18. 9,999 es _____ más que 9,299.

19. 8,904 es _____ menos que 9,904.

20. 7,734 es _____ menos que 7,834.

21. 4,322 es _____ menos que 6,322.

Encierra en un círculo el número mayor.

22.   2,467   2,476   2,433   2,408

Encierra en un círculo el número menor.

23.   8,908   8,900   8,808   8,800

Compara los números. Escribe > o <.

24.   7,733 ◯ 3,377

25.   3,860 ◯ 3,680

26.   5,959 ◯ 5,995

27.   8,063 ◯ 8,073

Ordena los números de mayor a menor.

28.   3,572   3,725   3,275   5,237

_____   _____   _____   _____
   el mayor

Ordena los números de menor a mayor.

29.   8,694   8,496   8,964   8,946

_____   _____   _____   _____
   el menor

Completa cada patrón numérico.

30.   3,465   3,665   3,865   _____   _____

31.   7,839   7,819   _____   _____   7,759

32.   580   2,580   _____   6,580   _____

33.   6,375   6,325   6,275   _____   _____

Completa los espacios en blanco.

34.   La masa de una sandía es 2,360 gramos.
La masa de una calabaza es 2,630 gramos.
¿Cuál fruta es más pesada?

La _____ es más pesada que la _____.

35.   El recipiente X contiene 3,590 mililitros de agua.
El recipiente Y contiene 3,509 mililitros de agua.
¿Cuál recipiente contiene más agua?

El recipiente _____ contiene más agua que el recipiente _____.

36.   La altura del edificio A es 1,241 ft.
La altura del edificio B es 1,214 ft.
¿Cuál edificio es más alto?

El edificio _____ es más alto que el edificio _____.

37.   El televisor A cuesta $1,988.
El televisor B cuesta $1,899.
¿Cuál televisor cuesta más?

El televisor _____ cuesta más que el televisor _____.

 **¡Ponte la gorra de pensar!**

Halla el número. Usa las pistas como ayuda.

1. Pista 1: Es un número de 4 dígitos.

Pista 2: El dígito que está en el lugar de las centenas es 5.

Pista 3: El dígito que está en el lugar de las decenas es 3 más que el dígito que está en el lugar de las centenas.

Pista 4: El dígito que está en el lugar de las unidades es menor que 2, pero mayor que 0.

Pista 5: El dígito que está en el lugar de los millares es 4 menos que el dígito que está en el lugar de las decenas.

El número es _____.

Completa cada patrón numérico.

2. 1, 4, 9, 16, 25, _____, _____, _____

3. 100, 200, 400, 700, 1,100, _____, _____, _____

Forma números de 4 dígitos. Usa los dígitos dados. Usa cada dígito solo una vez.

4   7   6   0

4.   ¿Cuántos números de 4 dígitos puedes formar?

_____

5.   ¿Cuál es el número menor de 4 dígitos que puedes formar?

_____

6.   ¿Cuál es el número mayor de 4 dígitos que puedes formar?

_____

Encierra en un círculo el número misterioso. Usa las pistas como ayuda.

7.   **118   96   61   47   54**

Pista 1: Los dígitos del número suman en total un número mayor que 10.

Pista 2: Si cuento de 2 en 2, obtendré este número.

El número misterioso es _____.

CAPÍTULO 2 Cálculo mental y estimación

Lección 2.1   Suma mental

Completa los espacios en blanco. Usa números conectados como ayuda.

Ejemplo

$27 + 54 = ?$

$27 + 50 = \underline{\quad 77 \quad}$

$\underline{\quad 77 \quad} + \underline{\quad 4 \quad} = \underline{\quad 81 \quad}$

Entonces, $27 + 54 = \underline{\quad 81 \quad}$.

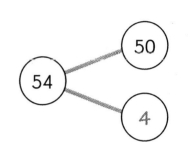

---

1. $36 + 57 = ?$

$36 + 50 = \underline{\qquad}$

$\underline{\qquad} + \underline{\qquad} = \underline{\qquad}$

Entonces, $36 + 57 = \underline{\qquad}$.

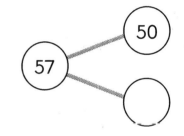

2. $19 + 56 = ?$

$19 + 50 = \underline{\qquad}$

$\underline{\qquad} + \underline{\qquad} = \underline{\qquad}$

Entonces, $19 + 56 = \underline{\qquad}$.

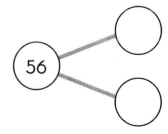

Completa los espacios en blanco. Usa números conectados como ayuda.

Ejemplo

$27 + 49 = ?$

$27 + 50 =$ _____77_____

_____77_____ $-$ _____1_____ $=$ _____76_____

Entonces, $27 + 49 =$ _____76_____.

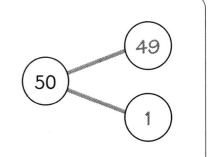

3. $15 + 48 = ?$

$15 + 50 =$ _____

_____ $-$ _____ $=$ _____

Entonces, $15 + 48 =$ _____.

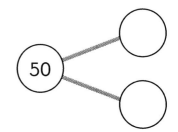

4. $26 + 47 = ?$

$26 + 50 =$ _____

_____ $-$ _____ $=$ _____

Entonces, $26 + 47 =$ _____.

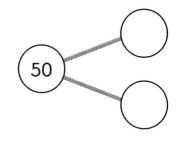

Suma. Usa el cálculo mental.

5. $28 + 56 =$ _____

6. $34 + 49 =$ _____

7. $17 + 67 =$ _____

8. $58 + 47 =$ _____

9. $55 + 59 =$ _____

10. $67 + 36 =$ _____

Lección 2.2   Resta mental

Completa los espacios en blanco. Usa números conectados como ayuda.

Ejemplo

$82 - 56 = ?$

$82 - 50 = \underline{\quad 32 \quad}$

$\underline{\quad 32 \quad} - \underline{\quad 6 \quad} = \underline{\quad 26 \quad}$

Entonces, $82 - 56 = \underline{\quad 26 \quad}$.

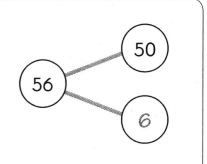

---

1. $73 - 58 = ?$

$73 - 50 = \underline{\qquad}$

$\underline{\qquad} - \underline{\qquad} = \underline{\qquad}$

Entonces, $73 - 58 = \underline{\qquad}$.

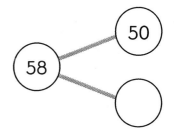

2. $84 - 37 = ?$

$84 - 30 = \underline{\qquad}$

$\underline{\qquad} - \underline{\qquad} = \underline{\qquad}$

Entonces, $84 - 37 = \underline{\qquad}$.

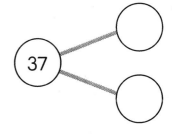

3. $94 - 55 = ?$

$94 - 50 = \underline{\qquad}$

$\underline{\qquad} - \underline{\qquad} = \underline{\qquad}$

Entonces, $94 - 55 = \underline{\qquad}$.

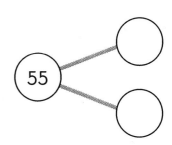

Completa los espacios en blanco. Usa números conectados como ayuda.

Ejemplo

$82 - 18 = ?$

$82 - 20 = \underline{\quad 62 \quad}$

$\underline{\quad 62 \quad} + \underline{\quad 2 \quad} = \underline{\quad 64 \quad}$

Entonces, $82 - 18 = \underline{\quad 64 \quad}$.

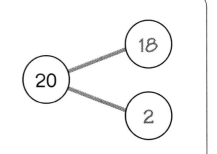

---

4. $75 - 38 = ?$

$75 - 40 = \underline{\qquad\qquad}$

$\underline{\qquad\qquad} + \underline{\qquad\qquad} = \underline{\qquad\qquad}$

Entonces, $75 - 38 = \underline{\qquad\qquad}$.

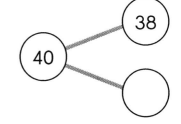

5. $83 - 45 = ?$

$83 - 50 = \underline{\qquad\qquad}$

$\underline{\qquad\qquad} + \underline{\qquad\qquad} = \underline{\qquad\qquad}$

Entonces, $83 - 45 = \underline{\qquad\qquad}$.

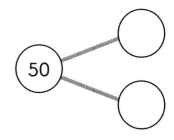

Resta. Usa el cálculo mental.

6. $94 - 32 = \underline{\qquad\qquad}$ **7.** $78 - 53 = \underline{\qquad\qquad}$

8. $72 - 25 = \underline{\qquad\qquad}$ **9.** $65 - 38 = \underline{\qquad\qquad}$

10. $51 - 19 = \underline{\qquad\qquad}$ **11.** $84 - 37 = \underline{\qquad\qquad}$

Lección 2.3   Más suma mental

Completa los espacios en blanco. Usa números conectados como ayuda.

Ejemplo

$27 + 97 = ?$

$27 + 100 = \underline{\quad 127 \quad}$

$\underline{\quad 127 \quad} - \underline{\quad 3 \quad} = \underline{\quad 124 \quad}$

Entonces, $27 + 97 = \underline{\quad 124 \quad}$.

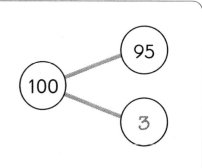

---

1. $38 + 95 = ?$

$38 + 100 = \underline{\hspace{2cm}}$

$\underline{\hspace{2cm}} - \underline{\hspace{2cm}} = \underline{\hspace{2cm}}$

Entonces, $38 + 95 = \underline{\hspace{2cm}}$.

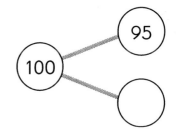

2. $47 + 98 = ?$

$47 + 100 = \underline{\hspace{2cm}}$

$\underline{\hspace{2cm}} - \underline{\hspace{2cm}} = \underline{\hspace{2cm}}$

Entonces, $47 + 98 = \underline{\hspace{2cm}}$.

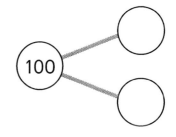

3. $86 + 96 = ?$

$86 + 100 = \underline{\hspace{2cm}}$

$\underline{\hspace{2cm}} - \underline{\hspace{2cm}} = \underline{\hspace{2cm}}$

Entonces, $86 + 96 = \underline{\hspace{2cm}}$.

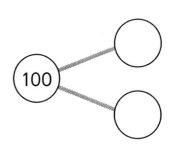

4.   78 + 99 = ?

78 + 100 = _____

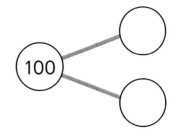

_____ − _____ = _____

Entonces, 78 + 99 = _____.

5.   66 + 98 = ?

66 + 100 = _____

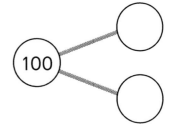

_____ − _____ = _____

Entonces, 66 + 98 = _____.

Suma. Usa el cálculo mental.

6.   28 + 96 = _____   **7.**   19 + 94 = _____

8.   47 + 98 = _____   **9.**   69 + 99 = _____

10.   73 + 97 = _____   **11.**   88 + 95 = _____

12.   55 + 96 = _____   **13.**   32 + 99 = _____

14.   44 + 97 = _____   **15.**   78 + 98 = _____

Lección 2.4   Redondear números para estimar

Completa la siguiente tabla.

	Número	Redondeado hasta la... más cercana	
		decena	centena
1.	139		
2.	658		
3.	1,099		
4.	8,567		
5.	4,395		

Redondea cada valor hasta la centena más cercana.

6.   Un sofá cuesta $836.

$836 es $_____ cuando se redondea hasta los $100 más cercanos.

7.   La calle Haven mide 487 metros de longitud.

487 metros es _____ metros cuando se redondea hasta los 100 metros más cercanos.

8.   La distancia entre dos pueblos es 572 kilómetros.

572 kilómetros es _____ kilómetros cuando se redondea hasta los 100 kilómetros más cercanos.

9.   Una fábrica puede producir 7,970 juguetes cada semana.

7,970 es _____ cuando se redondea hasta la centena más cercana.

Halla el valor mayor y el valor menor para cada enunciado cuando se redondea hasta la centena más cercana.

10. Un avión recorrió una distancia estimada de 800 kilómetros.

La mayor distancia que el avión podría haber recorrido es

_____ kilómetros.

La menor distancia que el avión podría haber recorrido es

_____ kilómetros.

11. Una piscina pequeña contiene aproximadamente 7,600 litros de agua.

La mayor cantidad de agua que la piscina podría contener es

_____ litros.

La menor cantidad de agua que la piscina podría contener es

_____ litros.

Resuelve. Muestra el proceso.

12. El señor Thomas tiene $2,000.

La computadora cuesta aproximadamente $_____.

La impresora cuesta aproximadamente $_____.

La cámara de fotos cuesta aproximadamente $_____.

¿El señor Thomas tiene suficiente dinero para comprar todos

los artículos? _____

Halla la suma. Usa el redondeo para comprobar que cada resultado es razonable.

> *Ejemplo*
>
> $225 + 472 =$ ___696___ 697
>
> 225 es aproximadamente ___200___.
>
> 472 es aproximadamente ___500___.
>
> ___200___ $+$ ___500___ $=$ ___700___
>
> Entonces, 225 + 472 es aproximadamente ___700___.
>
> ___697___ está cerca de ___700___, entonces el resultado es razonable.

13. $780 + 230 =$ _____

780 es aproximadamente _____.

230 es aproximadamente _____.

_____ $+$ _____ $=$ _____

Entonces, 780 + 230 es aproximadamente _____.

_____ está cerca de _____, entonces el resultado es razonable.

Nombre: _____   Fecha: _____

14. $748 - 319 =$ _____

748 es aproximadamente _____.

319 es aproximadamente _____.

_____ $-$ _____ $=$ _____

Entonces, $748 - 319$ es aproximadamente _____.

_____ está cerca de _____, entonces el resultado es razonable.

15. $527 - 288 =$ _____

527 es aproximadamente _____.

288 es aproximadamente _____.

_____ $-$ _____ $=$ _____

Entonces, $527 - 288$ es aproximadamente _____.

_____ está cerca de _____, entonces el resultado es razonable.

Lección 2.5   Usar la estimación por la izquierda

Halla la suma. Usa la estimación por la izquierda para comprobar que cada resultado es razonable.

Ejemplo

$219 + 567 =$ ___786___

___200___ $+$ ___500___ $=$ ___700___

La suma estimada es ___700___.

El resultado ___786___ es razonable.

---

1. $268 + 323 =$ _____

_____ $+$ _____ $=$ _____

La suma estimada es _____.

El resultado _____ es razonable.

2. $479 \mid 624 =$ _____

_____ $+$ _____ $=$ _____

La suma estimada es _____.

El resultado _____ es razonable.

Halla la diferencia. Usa la estimación por la izquierda para comprobar que cada resultado es razonable.

3. $574 - 296 =$ _____

_____ $-$ _____ $=$ _____

La diferencia estimada es _____.

¿El resultado es razonable? _____

4. $916 - 378 =$ _____

_____ $-$ _____ $=$ _____

La diferencia estimada es _____.

¿El resultado es razonable? _____

Halla la suma o la diferencia. Usa la estimación por la izquierda para comprobar que cada resultado es razonable.

5. $260 + 350 =$ _____

_____ $+$ _____ $=$ _____

La suma estimada es _____.

¿El resultado es razonable? _____

6. $425 + 272 =$ _____

_____ $+$ _____ $=$ _____

La suma estimada es _____.

¿El resultado es razonable? _____

7. $590 - 466 =$ _____

_____ $-$ _____ $=$ _____

La diferencia estimada es _____.

¿El resultado es razonable? _____

8. $780 - 690 =$ _____

_____ $-$ _____ $=$ _____

La diferencia estimada es _____.

¿El resultado es razonable? _____

Resuelve. Muestra el proceso.

9. Beatrice tiene 136 libros.
Su hermano tiene el doble de libros que tiene Beatrice.
Estima el número de libros que tienen en total.

10. Un almacenero vende 548 manzanas y 470 naranjas.
Estima el número de frutas que vendió en total.

11. Kathy y Joe salen a correr.
Kathy corre 650 metros y Joe corre 480 metros.
Estima la diferencia entre las distancias que corrieron.

¡Ponte la gorra de pensar!

Suma o resta mentalmente.
Escribe los números que faltan en la sopa de números.

1.

134	+	53	=	
−				
56				
=				
	+	47	=	
				−
				49
				=
22	+		=	

Suma o resta mentalmente.

2. 394 + 98 = _____

3. 206 + 103 = _____

4. 445 − 99 = _____

5. 788 − 106 = _____

6. 237 + 97 = _____

7. 313 − 109 = _____

Sombrea los números dados. Luego, escribe los tres números que siguen.

Ejemplo

1	2	3	4	5	6	7	8	9	10	11	12	13	14	15	16	17	18	19	20	21

1, 5, 9, ____13____, ____17____, ____21____

8.

1	2	3	4	5	6	7	8	9	10	11	12	13	14	15	16	17	18	19	20	21	22

1, 2, 4, 7, _____, _____, _____

Completa cada patrón numérico.

9.   1, 2, 5, 10, 17, _____, _____, _____

10.   1, 2, 4, 8, 16, _____, _____, _____

CAPÍTULO 3 **Sumas hasta 10,000**

Lección 3.1   Suma sin reagrupación

Suma. Usa una tabla de valor posicional como ayuda.

1.

Millares	Centenas	Decenas	Unidades
4 ,	3	5	6
+	6	4	3

2.

Millares	Centenas	Decenas	Unidades
2 ,	4	1	7
+	3	6	2

3.

Millares	Centenas	Decenas	Unidades
3 ,	5	2	3
+ 4	3	7	3

4.

Millares	Centenas	Decenas	Unidades
5 ,	1	2	4
+ 3	6	7	4

Suma.

5.
$$
\begin{array}{r}
1,432 \\
+\ 2,314 \\
\hline
\end{array}
$$

6.
$$
\begin{array}{r}
3,426 \\
+\ 1,252 \\
\hline
\end{array}
$$

7.
$$
\begin{array}{r}
2,534 \\
+\ 3,024 \\
\hline
\end{array}
$$

8.
$$
\begin{array}{r}
4,627 \\
+\ 1,242 \\
\hline
\end{array}
$$

9.
$$
\begin{array}{r}
5,837 \\
+\ 2,152 \\
\hline
\end{array}
$$

10.
$$
\begin{array}{r}
3,426 \\
+\ 1,252 \\
\hline
\end{array}
$$

Suma.

11. $6{,}083 + 2{,}003 = $ _____

12. $7{,}500 + 437 = $ _____

13. $2{,}404 + 3{,}000 = $ _____

14. $5{,}025 + 3{,}114 = $ _____

15. $7{,}612 + 2{,}212 = $ _____

16. $4{,}236 + 2{,}600 = $ _____

Lección 3.2   Suma con reagrupación de centenas

Escribe los números que faltan.

1.   4 centenas + 8 centenas

= _____ centenas

= _____ millar y _____ centenas

2.   6 centenas + 8 centenas

= _____ centenas

= _____ millar y _____ centenas

3.   7 centenas + 9 centenas

= _____ centenas

= _____ millar y _____ centenas

4.   9 centenas + 9 centenas

= _____ centenas

= _____ millar y _____ centenas

5.   8 centenas + 5 centenas

= _____ centenas

= _____ millar y _____ centenas

Suma.

6.
```
    2, 6 5 9
  +     8 0 0
```
[   ]

7.
```
    3, 4 0 6
  +     7 1 3
```
[   ]

8.
```
    4, 5 4 2
  + 2, 9 2 3
```
[   ]

9.
```
    5, 6 1 5
  + 3, 6 0 4
```
[   ]

10.
```
    6, 7 2 9
  + 1, 8 3 0
```
[   ]

11.
```
    5, 8 0 7
  + 3, 9 8 2
```
[   ]

Suma.

12. La suma de 3,684 y 2,700 es igual a [   ].

13. La suma de 3,503 y 5,956 es igual a [   ].

14. 5,833 + 3,465 = [   ]

15. 7,944 + 1,845 = [   ]

Lección 3.3   Suma con reagrupación de unidades, decenas y centenas

Suma.

1.
```
    7 3 8
+   6 9 5
```
[   ]

2.
```
    8 6 7
+   3 6 7
```
[   ]

3.
```
    6 7 9
+   8 4 6
```
[   ]

4.
```
    5 6 7
+   9 4 8
```
[   ]

5.
```
  2, 9 4 6
+ 3, 6 8 8
```
[   ]

6.
```
  3, 7 5 2
+ 3, 5 6 8
```
[   ]

7.
```
  4, 2 7 6
+ 4, 7 8 9
```
[   ]

8.
```
  1, 8 1 9
+ 6, 3 9 9
```
[   ]

9.
```
    6,  4  8  5
 +  2,  6  8  8
```

10.
```
    5,  2  4  6
 +  3,  9  7  8
```

11.
```
    3,  7  2  9
 +  2,  6  8  4
```

12.
```
    4,  2  5  3
 +  1,  9  5  9
```

13.
```
    4,  5  7  6
 +  3,  8  7  9
```

14.
```
    6,  8  5  6
 +  1,  4  5  6
```

15.
```
    7,  3  9  4
 +  1,  8  3  8
```

16.
```
    3,  9  9  5
 +  2,  6  4  7
```

17.
```
    2,  5  4  9
 +  5,  6  6  2
```

18.
```
    1,  1  8  3
 +  3,  9  2  7
```

Resuelve. Muestra el proceso.

19.   Durai compró una computadora a $1,346.
Compró una impresora a $452.
¿Cuánto pagó Durai en total?

20.   En la escuela primaria Hillside, hay 1,253 niños y 1,624 niñas.
¿Cuántos estudiantes hay en la escuela?

21.   El señor Li tiene 1,034 cabras.
Tiene 242 ovejas más que cabras.
¿Cuántas ovejas tiene el señor Li?

22.   El señor George gastó $1,008 en un sofá.
En un TV de plasma, gastó $1,860 más que lo que gastó en el sofá.
¿Cuánto gastó el señor George en el TV de plasma?

23.   Los niños exploradores recolectaron 2,486 regalos para un hogar
de niños.
Las niñas exploradoras recolectaron 3,787 regalos para un hogar
de ancianos.
¿Cuántos regalos se recolectaron en total?

24.   En una biblioteca, hay 4,767 libros en inglés y 4,594 libros en francés.
¿Cuántos libros tiene la biblioteca en total?

25.   En una granja, hay 256 pollos y 4,857 patos.
¿Cuántos pollos y patos hay en la granja en total?

26.   Un panadero horneó 1,464 panecillos el sábado.
1,867 panecillos El domingo, horneó más que el sábado.
¿Cuántos panecillos horneó el domingo?

 **¡Ponte la gorra de pensar!**

Halla los números misteriosos.

1. La suma de dos números es igual a 200.
Un número es 40 menos que el otro número.

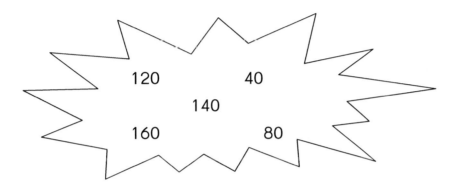

120   40

140

160   80

Los números son _____ y _____.

2. La suma de dos números es igual a 190.
La suma de sus dígitos es igual a 10.

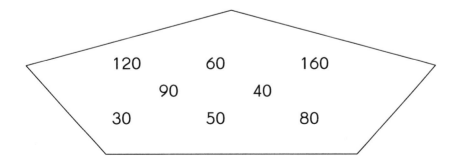

120   60   160

90   40

30   50   80

Los números son _____ y _____.

3. **Coloca los siguientes dígitos en los recuadros de manera que la suma de los dígitos en cada línea recta sea la misma.**

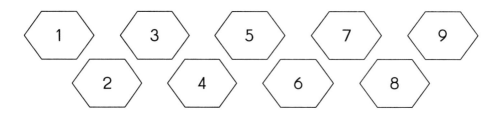

Hay más de una respuesta posible.

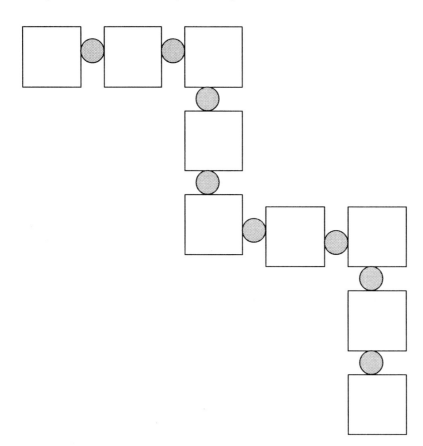

4.   **Usa los siguientes dígitos para formar números de 4 dígitos.**

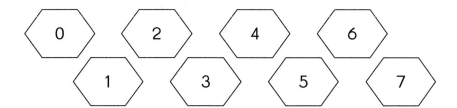

Usa cada dígito solo una vez. No comiences un número con el dígito 0.

Forma la suma menor de dos números de 4 dígitos.

a.

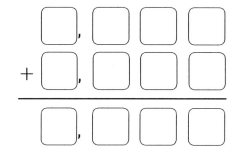

Forma la suma mayor de dos números de 4 dígitos.
La suma debe ser menor que 10,000.

b.

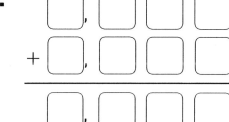

**5.   John piensa en un número de 3 dígitos.
¿Qué número es?
Usa las siguientes pistas para hallar el número en el que
pensó John.**

Cada dígito es diferente.
La suma de todos los dígitos es igual a 19.
La diferencia entre el dígito de las centenas y el dígito
de las unidades es igual a 6.
El dígito de las decenas es el dígito mayor.
El número es mayor que 500.

El número en el que pensó John es _____.

CAPÍTULO 4

Restas hasta 10,000

Lección 4.1   Resta sin reagrupación

Resta. Usa una tabla de valor posicional como ayuda.

1.

Millares	Centenas	Decenas	Unidades
2 ,	7	6	6
−	4	4	5

2.

Millares	Centenas	Decenas	Unidades
6 ,	9	8	4
−	6	3	2

3.

Millares	Centenas	Decenas	Unidades
5 ,	4	7	9
− 2 ,	0	3	5

4.

Millares	Centenas	Decenas	Unidades
6 ,	5	8	7
− 4 ,	3	4	3

Resta.

5.
```
   7, 8  2  5
-  2, 2  0  4
```
⬚

6.
```
   8, 0  4  3
-  4, 0  1  2
```
⬚

7.
```
   6, 3  7  2
-  3, 2  6  0
```
⬚

8.
```
   9, 9  5  8
-  6, 4  3  5
```
⬚

Encierra en un círculo los dos números que dan como resultado la diferencia. Luego, escribe el enunciado numérico.

9.   La diferencia entre los números es igual a 230.

420   379   178   650

⬚ ◯ ⬚ ◯ ⬚

10.   La diferencia entre los números es igual a 325.

900   145   575   165

⬚ ◯ ⬚ ◯ ⬚

Lección 4.2   Resta con reagrupación de centenas y millares

Escribe los números que faltan.

> *Ejemplo*
>
> 3 millares y 5 centenas
>
> = 2 millares y ____15____ centenas

1.   4 millares y 6 centenas

= 3 millares y _____ centenas

2.   8 millares y 3 centenas

= 7 millares y _____ centenas

3.   5 millares y 8 centenas

= 4 millares y _____ centenas

4.   9 millares y 7 centenas

= 8 millares y _____ centenas

5.   7 millares y 2 centenas

= 6 millares y _____ centenas

Resta. Usa una tabla de valor posicional como ayuda.

6.

Millares	Centenas	Decenas	Unidades
4 ,	3	6	0
− 2 ,	5	4	0

7.

Millares	Centenas	Decenas	Unidades
5 ,	4	3	6
− 1 ,	7	2	3

8.

Millares	Centenas	Decenas	Unidades
8 ,	0	6	7
− 4 ,	6	2	5

9.

Millares	Centenas	Decenas	Unidades
7 ,	5	9	6
− 6 ,	7	8	6

Lección 4.3   Resta con reagrupación de unidades, decenas, centenas y millares

Reagrupa. Escribe los números que faltan.

1.   6 centenas y 2 decenas = 5 centenas y [ ] decenas

2.   3 centenas y 5 decenas = 2 centenas y [ ] decenas

3.   8 centenas y 3 decenas − 7 centenas y [ ] decenas

4.   7 decenas y 4 unidades = 6 decenas y [ ] unidades

5.   3 decenas y 6 unidades = 2 decenas y [ ] unidades

6.   8 decenas y 9 unidades = 7 decenas y [ ] unidades

Resta. Reagrupa cuando sea necesario.

7.

Millares	Centenas	Decenas	Unidades
5 ,	3	1	0
− 3 ,	5	4	6

[ ]

8.

Millares	Centenas	Decenas	Unidades
8 ,	2	2	3
− 3 ,	4	3	9

[ ]

9.

Millares	Centenas	Decenas	Unidades
6 ,	4	1	8
− 3 ,	7	2	9

10.

Millares	Centenas	Decenas	Unidades
7 ,	0	4	6
− 1 ,	6	5	8

11.

Millares	Centenas	Decenas	Unidades
7 ,	2	0	3
− 2 ,	7	8	5

12.

Millares	Centenas	Decenas	Unidades
9 ,	3	2	4
− 5 ,	5	6	6

13.

Millares	Centenas	Decenas	Unidades
8 ,	1	3	5
− 6 ,	4	8	7

Lección 4.4   Ceros en la resta

Resta. Usa una tabla de valor posicional como ayuda.

1.

Millares		Centenas	Decenas	Unidades
1	,	0	0	0
−		3	2	0

2.

Millares		Centenas	Decenas	Unidades
2	,	0	0	0
− 1	,	0	2	0

3.

Millares		Centenas	Decenas	Unidades
8	,	0	0	5
− 3	,	2	4	6

4.

Millares		Centenas	Decenas	Unidades
7	,	0	1	0
− 5	,	8	4	5

Resta. Luego, resuelve.

5.
```
    1,  0   0   0
  −      4   8   0
```
(P)

6.
```
    3,  0   0   0
  − 1,  2   5   4
```
(Í)

7.
```
    5,  0   0   0
  − 2,  5   8   6
```
(R)

8.
```
    6,  0   0   0
  − 2,  9   3   6
```
(C)

9.
```
    7,  0   0   5
  − 3,  4   6   8
```
(E)

10.
```
    8,  0   6   0
  − 2,  3   8   4
```
(U)

11.
```
    5,  2   0   0
  − 4,  8   3   7
```
(S)

12.
```
    9,  0   1   0
  − 5,  1   9   2
```
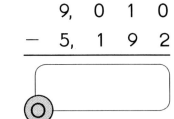

13.
```
    1,  0   0   0
  −      7   2   6
```
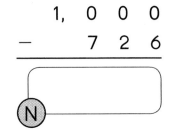

Ayuda a Juan a resolver el acertijo.
Escribe las letras correspondientes para descubrirlo.

¿Qué tipo de cerdo es el que pincha?

_____ _____ _____ _____
(520)   (5,676)   (3,537)   (2,414)

_____ _____ _____ _____
(3,064)   (3,818)   (3,537)   (363)

_____ _____ _____
(520)   (1,746)   (274)

Resuelve. Muestra el proceso.

14. La señora Jones tiene 726 lápices.
Quiere dar un lápiz a cada uno de 4,005 niños.
¿Cuántos lápices más necesita la señora Jones?

15.   Lena tenía $2,050.
Compró una computadora a $1,598.
¿Cuánto dinero le quedó a Lena?

16.   Un granjero tiene 3,670 ovejas en su granja.
Hay 1,982 vacas menos que ovejas en la granja.
¿Cuántas vacas hay?

17. El señor Rojas gana $3,000 por mes.
Gasta $1,346 por mes y ahorra el resto.
¿Cuánto dinero ahorra el señor Rojas cada mes?

18. En la estación de gasolina ABC, se venden 2,570 litros de gasolina el lunes y 5,870 litros de gasolina el martes. Halla la diferencia entre las cantidades de gasolina que se vendieron en los dos días.

19. 3,058 adultos y 1,735 niños fueron a ver un espectáculo.
¿Cuántos niños menos que adultos había en el espectáculo?

20. El señor Bema necesita exactamente 1,260 kilogramos de harina
para su fábrica. Ahora, tiene 985 kilogramos de harina.
¿Cuántos kilogramos más de harina necesita el señor Bema?

 **¡Ponte la gorra de pensar!**

1. Tran está pensando en dos números de 3 dígitos.
Usa las siguientes pistas para hallar los números
en los que está pensando Tran.

> La suma de estos dos números es igual a 500.
> La diferencia entre estos dos números es igual a 220.
> El número menor es menor que 200.
> El número mayor es mayor que 300.

¿Qué dos números de 3 dígitos son?

Los números son _____ y _____.

2. **Usa los siguientes dígitos para formar números de 4 dígitos.**

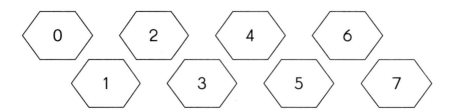

Usa cada dígito solo una vez.
No comiences un número con el dígito 0.

a. Forma la diferencia mayor entre dos números de 4 dígitos.

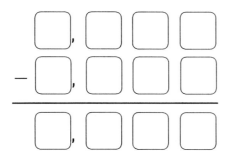

b. Forma la diferencia menor entre dos números de 4 dígitos.

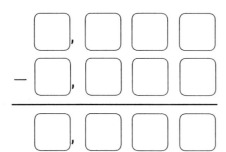

3.   Sondhi, Larry y Moe están en un puesto de la feria.
Cada uno tiene 3 pelotas para lanzar a los blancos.

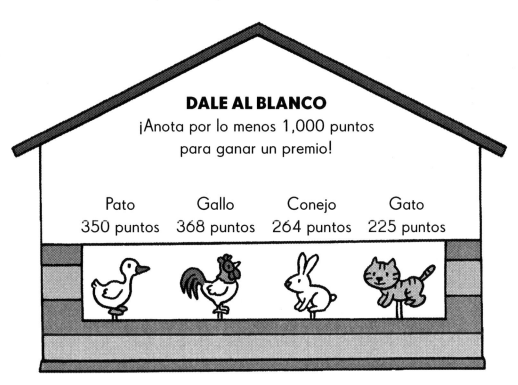

DALE AL BLANCO
¡Anota por lo menos 1,000 puntos
para ganar un premio!

Pato	Gallo	Conejo	Gato
350 puntos	368 puntos	264 puntos	225 puntos

a.   Sondhi derribó 1 gato y 2 gallos.
Larry derribó 1 pato y 2 conejos.
¿Quién obtuvo más puntos?
¿Ganó un premio?

b.   Moe obtuvo un total de 1,000 puntos.
¿Qué blancos derribó?

4.   Hassan tiene cuatro tarjetas. Cada tarjeta tiene un número como los que se muestran a continuación.

| 3 | 8 | 7 | 4 |

a.   Usa cada tarjeta solo una vez para formar números de 4 dígitos. Haz una lista con los números de cuatro dígitos que son mayores que 7,000.

b.   Halla la diferencia entre el número mayor y el número menor de 4 dígitos de la lista de arriba.

Modelos de barras: Suma y resta

CAPÍTULO 5

Lección 5.1   Problemas cotidianos: La suma y la resta (Parte 1)

Resuelve. Dibuja modelos de barras como ayuda.

1.   La señora Tanaka compra un pato y un pollo.
La masa del pato es 2,300 gramos.
La masa del pollo es 1,675 gramos.
¿Cuánto más pesado que el pollo es el pato?

2.   Allison corre 3,860 metros y Calvin corre 5,470 metros.
¿Cuántos metros corrieron los dos en total?

3.   John y Tracy venden banderas para recaudar dinero para su club.
John vende 457 banderas y Tracy vende 686.

    a.   ¿Cuántas banderas vendieron en total?

    b.   ¿Quién vendió más banderas? ¿Cuántas más?

4.   El día de San Valentín, Kiri hace 96 marcadores de libro.
Zelda hace 120 marcadores.

    a.   ¿Cuántos marcadores más que Kiri hizo Zelda?

    b.   ¿Cuántos marcadores hicieron en total?

5.   Leila bebe 1,466 mililitros de agua por día.
Mark bebe 2,895 mililitros más que Leila.

a.   ¿Cuánta agua bebe Mark?

b.   ¿Cuánta agua beben en total?

6.   Brad tiene 1,300 estampillas.
938 son estampillas canadienses y el resto son estampillas malasias.

a.   ¿Cuántas estampillas malasias tiene Brad?

b.   ¿De qué tipo de estampillas tiene menos Brad?
¿Cuántas menos?

7.   Micaela compra un sofá y un juego de comedor para su nuevo departamento.

Sofá

Juego de comedor

a.   ¿Cuál de los dos cuesta menos?

b.   ¿Cuánto menos?

Lección 5.1   Problemas cotidianos: La suma y la resta (Parte 2)

Resuelve. Dibuja modelos de barras como ayuda.

1. Una computadora cuesta $1,590.
Una impresora cuesta $899.

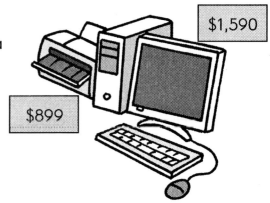

$1,590

$899

   a. ¿Cuánto menos que la computadora cuesta la impresora?

   b. ¿Cuánto cuestan los dos objetos en total?

2. En una tienda hay 3,160 libros y revistas.
Hay 2,378 libros. El resto son revistas.

   a. ¿Cuántas revistas hay?

   b. En la tienda hay 1,226 libros en inglés y el resto son libros en francés. ¿Cuántos libros en francés hay?

3. El señor Michael tiene $1,685.
La señora Katty tiene $2,928 más que el señor Michael.

    a. ¿Cuánto dinero tiene la señora Katty?

    b. ¿Cuánto dinero tienen en total?

4. En un concierto hay 3,254 niños.
En el concierto hay 1,369 adultos menos que niños.

    a. ¿Cuántos adultos hay en el concierto?

    b. ¿Cuántas personas hay en el concierto en total?

Lección 5.1   Problemas cotidianos: La suma y la resta (Parte 3)

Resuelve. Dibuja modelos de barras como ayuda.

1. En estas ilustraciones se muestra el número de canicas que hay en cada bolsa.

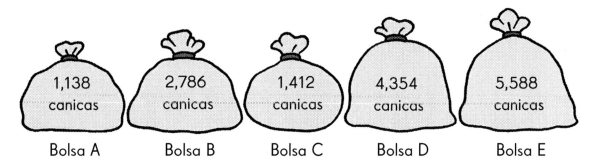

Bolsa A	Bolsa B	Bolsa C	Bolsa D	Bolsa E
1,138 canicas	2,786 canicas	1,412 canicas	4,354 canicas	5,588 canicas

Jane toma la bolsa B y la bolsa D.
Karen toma la bolsa E.

a. ¿Quién tiene más canicas?

b. ¿Cuántas canicas más tiene?

2. En la Escuela Primaria Green Bridge, hay 159 adultos, 1,960 niños y 558 niñas menos que niños. ¿Cuántas personas hay en la escuela?

3. Ravi tiene 1,286 estampillas. Terell tiene 1,528 estampillas más que Ravi. ¿Cuántas estampillas tienen en total?

 ¡Ponte la gorra de pensar!

1. Coloca los siguientes dígitos en los recuadros de manera que la suma de los números de 3 dígitos sea 999. Usa cada dígito solo una vez.

(1) (2) (3) (4) (5) (6) (7) (8) (9)

```
   ☐ ☐ ☐
   ☐ ☐ ☐
 + ☐ ☐ ☐
 ─────────
   9  9  9
 ─────────
```

2. Teresa tiene 300 manzanas rojas y verdes.
    Hay 40 manzanas rojas más que manzanas verdes.
    ¿Cuántas manzanas verdes tiene Teresa?

3.   Tashi piensa un número de 4 dígitos.
¿Qué número es?
Usa las siguientes pistas para hallar el número
que pensó Tashi.

> Todos los dígitos son diferentes.
> La suma del dígito de los millares y el dígito
> de las decenas es igual a 10.
> La suma de todos los dígitos es igual a 16.
> La diferencia entre el dígito de las centenas y el dígito
> de las unidades es igual a 6.
> La diferencia entre el dígito de los millares y el dígito
> de las centenas es igual a 3.
> El número es mayor que 8,000.

El número que pensó Tashi es _____.

Preparación para la prueba

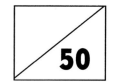

de los Capítulos 1 a 5

Opción múltiple (10 × 2 puntos = 20 puntos)

Sombrea el círculo que está junto a la respuesta correcta.

1. En el número 7,348, el dígito 7 está en el lugar de ⬜.

(A) las unidades   (B) las decenas   (C) las centenas   (D) los millares

2. ¿Cuántas centenas hay en el número 3,628? La respuesta es ⬜.

(A) 6   (B) 36   (C) 62   (D) 600

3. En el patrón numérico, ¿cuál es el número que falta?

3,888, 4,438, 5,088, 5,838, ⬜

(A) 6,088   (B) 6,288   (C) 6,488   (D) 6,688

4. Resta 3,854 de 10,000. El resultado es ⬜.

(A) 6,146   (B) 6,246   (C) 7,146   (D) 7,246

5. Suma 2,659 a 784. El total es igual a ⬜ más que 555.

(A) 2,878   (B) 2,888   (C) 2,988   (D) 3,988

6. $45 + 5 = \boxed{} - 100$. El número que falta es _____.

(A) 30   (B) 70   (C) 130   (D) 150

7. Suma 567 a la diferencia entre 8,000 y 4,567.

El resultado es $\boxed{}$.

(A) 2,866   (B) 3,866   (C) 4,000   (D) 6,000

8. Liling compró un juguete a $28.
Pagó $19 más por un automóvil de juguete que por el juguete.
¿Cuánto pagó Liling en total?

(A) $47   (B) $57   (C) $65   (D) $75

9. El señor King tiene 3,120 peces en su acuario.
Después de vender 1,850 peces, ¿cuántos peces le quedaron
al señor King?

(A) 1,250   (B) 1,270   (C) 1,370   (D) 2,270

10. El estandarte A mide 385 centímetros de longitud.
El estandarte B es 169 centímetros más largo que el estandarte A.
¿Cuál es la longitud total de los dos estandartes?

(A) 554 cm   (B) 839 cm   (C) 854 cm   (D) 939 cm

Respuesta corta (10 × 2 puntos = 20 puntos)

Escribe tus respuestas en el espacio dado.

11.   Escribe 6,999 en palabras.

Respuesta: _____

12.   En el número 8,296, ¿cuál es el valor del dígito 2?

Respuesta: _____

13.   En el número 3,749, el dígito 4 está en el lugar de ⬚.

Respuesta: _____

14.   ¿Qué número es 500 menos que 6,125?

Respuesta: _____

15.   ¿Cuál es el menor número de 4 dígitos que se puede formar con los dígitos 3, 8, 0 y 7?

Respuesta: _____

16.   Resta 989 de la suma de 1,857 y 2,465.

Respuesta: _____

17.   Completa el patrón numérico.

Respuesta: _____

18.   Lena tiene 258 monedas.
Shanta tiene 75 monedas más que Lena.
¿Cuántas monedas tiene Shanta?

Respuesta: _____ monedas

19.   Nordin tiene 523 canicas.
Tiene 68 canicas más que Vivian.
¿Cuántas canicas tiene Vivian?

Respuesta: _____ canicas

20.   Soy un número de 3 dígitos menor que 500.
Mi dígito de las unidades es el doble de mi dígito de las centenas.
La suma de mis tres dígitos es igual a 14.
¿Qué número soy?

Respuesta: _____

Respuesta desarrollada (10 puntos)

Resuelve. Muestra el proceso.

21. Meena, Fiona y Jacobo se reparten un total de 320 conchas marinas.
Fiona recibe 140 conchas marinas.
Meena recibe 90 conchas marinas.
¿Cuántas conchas marinas recibió Jacobo?
(2 puntos)

Haz un modelo como ayuda.

22. Kerrie tiene 100 estampillas estadounidenses y danesas.
Tiene 60 estampillas estadounidenses más que estampillas danesas.
¿Cuántas estampillas danesas tiene Kerrie?
(3 puntos)

23. Latoya tiene 75 tarjetas menos que Andrew.
Clinton tiene 38 tarjetas más que Latoya.
Clinton tiene 200 tarjetas. ¿Cuántas tarjetas
con dibujos tiene Andrew? (3 puntos)

Haz un modelo como ayuda.

24. Observa los siguientes números.

5,726   5,672

a. ¿En qué se parecen estos dos números? (1 punto)

_____

b. ¿En qué se diferencian estos dos números? (1 punto)

_____

Tablas de multiplicación de 6, 7, 8 y 9

Lección 6.1 Propiedades de la multiplicación

Cuenta de 2 en 2.
Luego completa los espacios en blanco con "número impar"
o "número par".

1.

_____

2.

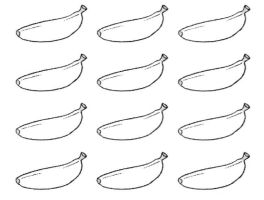

_____

3.

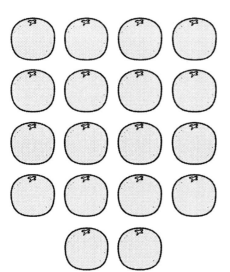

_____

Cuenta de 2 en 2.
Luego completa los espacios en blanco con "número impar"
o "número par".

4.

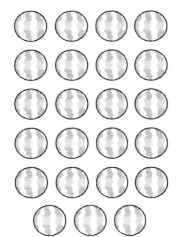

_____

5.

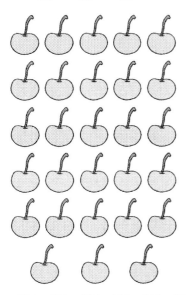

_____

6.

_____

Clasifica los siguientes números como número simpares o números pares.

7.   17,   26,   32,   39,   43,   48,   50,   41,   54,   15

Números impares: _____ _____ _____ _____ _____

Números pares: _____ _____ _____ _____ _____

Cuenta hacia adelante para completar los siguientes patrones numéricos. Escribe "número par" o "número impar" abajo del patrón numérico.

8.   Cuenta de 2 en 2.

2   4   8   10   _____ _____ _____

9.   Cuenta de 3 en 3.

3   6   9   12   _____ _____ _____

10.   Cuenta de 4 en 4.

4   8   12   16   _____   _____   _____

11.   Cuenta de 5 en 5.

5   10   15   20   _____   _____   _____

12.   Cuenta de 10 en 10.

10   20   30   40   _____   _____   _____

Completa los números que faltan. Usa cada dígito una sola vez en cada número.

13. Kerri usa los dígitos 7, 5, 4 y 8.
Ayuda a Kerri a escribir todos los
  a. números impares de 4 dígitos posibles.
  b. números pares de 4 dígitos posibles.

Números impares	Números pares

14. Megan usa los dígitos 6, 3, 0 y 7.
Ayuda a Megan a formar el

  a. el mayor número impar de 4 dígitos.

  b. el mayor número par de 4 dígitos.

  c. el menor número impar de 4 dígitos.

  d. el menor número par de 4 dígitos.

15. Talia usa los dígitos 5, 9, 0, 4 y 8.
Ayuda a Talia a formar

a. el mayor número impar de 2 dígitos.

b. el menor número par de 2 dígitos.

c. el mayor número impar de 3 dígitos.

d. el mayor número par de 3 dígitos.

e. el menor número impar de 3 dígitos.

f. el menor número par de 3 dígitos.

g. el mayor número par de 4 dígitos.

h. el menor número impar de 4 dígitos.

Observa cada recta numérica. Escribe la operación de multiplicación.

16.

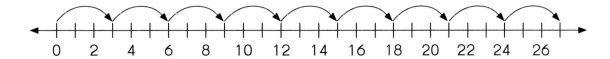

_____ $\times$ _____ = _____

17.

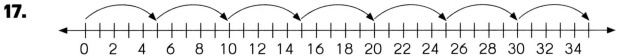

_____ $\times$ _____ = _____

18.

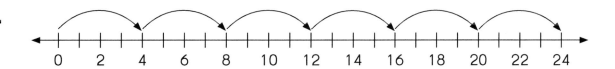

_____ $\times$ _____ = _____

19.

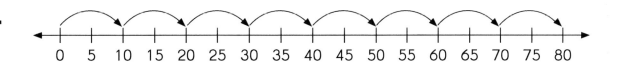

_____ $\times$ _____ = _____

Multiplica. Usa el conteo salteado como ayuda.

20. $8 \times 2 =$ _____

21. $4 \times 4 =$ _____

22. $5 \times 0 =$ _____

23. $6 \times 3 =$ _____

24. $7 \times 4 =$ _____

25. $8 \times 5 =$ _____

26. $6 \times 10 =$ _____

27. $7 \times 3 =$ _____

Escribe los números que faltan.

28. $4 \times$ _____ $=$ _____ $\times 4 = 20$

29.   _____ $\times 3 = 3 \times$ _____ $= 24$

30. $10 \times$ _____ $=$ _____ $\times 10 = 90$

31.   _____ $\times 5 = 5 \times$ _____ $= 45$

32.   _____ $\times 2 = 16$

33.   _____ $\times 3 = 27$

34. $4 \times$ _____ $= 36$

35. $5 \times$ _____ $= 25$

Lección 6.2   Multiplicar por 6

Observa cada matriz. Luego, completa los espacios en blanco.

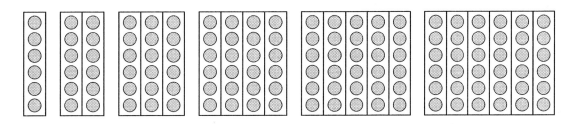

1.   6   12   _____   24   _____   36

2.   30   36   42   _____   _____   _____

Escribe los números que faltan.

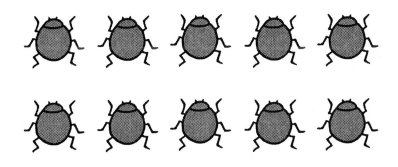

Cada escarabajo tiene seis patas.

3. $2 \times 6 =$ _____

4. $4 \times 6 =$ _____

5. $6 \times 6 =$ _____

6. $8 \times 6 =$ _____

7.   _____ $\times 6 = 18$

8.   _____ $\times 6 = 42$

9. $9 \times 6 = 6 \times$ _____ $=$ _____

10. $10 \times$ _____ $=$ _____ $\times 10 = 60$

Completa los espacios en blanco. Usa operaciones de multiplicación relacionadas como ayuda.

11. $6 + 6 + 6 + 6 + 6 =$ _____ $\times\ 6$

12.

$7 \times 6 = 5 \times 6 +$ _____ $\times\ 6$

13. $12 =$ _____ $\times\ 6$

$24 =$ _____ $\times\ 6$

$12 + 24 =$ _____ $\times\ 6\ +$ _____ $\times\ 6$

$=$ _____ $\times\ 6$

$=$ _____

14. $18 =$ _____ $\times\ 6$

$36 =$ _____ $\times\ 6$

$54 =$ _____ $\times\ 6\ +\ 6 \times 6$

Resuelve. Muestra el proceso.

15. 4 niños reciben lápices.
Cada niño recibe 6 lápices.
¿Cuántos lápices tienen los niños en total?

16. El dueño de una tienda de mascotas tiene 6 aves en cada jaula.
¿Cuántas aves tiene en 8 jaulas?

17. Jason hace 6 marcadores de libro en una hora.
¿Cuántos marcadores de libro puede hacer en 7 horas?

18. Sarah tiene 9 ositos de peluche.
Cada osito cuesta $6.
¿Cuánto cuestan los 9 ositos en total?

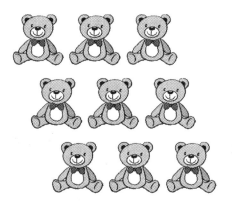

Lección 6.3   Multiplicar por 7

Observa cada modelo de área. Escribe la operación de multiplicación.

1.

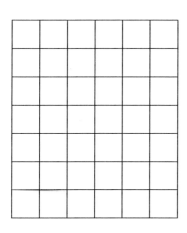

2.

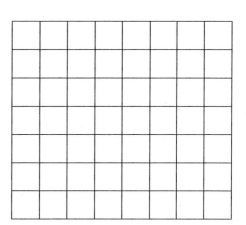

_____ × _____ = _____   _____ × _____ = _____

Escribe los números que faltan.

3. $2 \times 7 =$ _____   **4.** $4 \times 7 =$ _____

5. $5 \times 7 =$ _____   **6.** $8 \times 7 =$ _____

7. $7 \times$ _____ $= 49$ **8.**   _____ $\times 7 = 63$

9.   _____ $\times 7 = 7 \times$ _____ $= 21$

10.   _____ $\times 7 = 7 \times$ _____ $= 0$

Escribe los números que faltan.

11. $8 \times 7 = 4 \times 7 +$ _____ $\times 7$

12. $6 \times 7 = 3 \times 7 +$ _____ $\times 7$

Resuelve. Muestra el proceso.

13. Para una carrera de relevos se formaron equipos de 7 niños. ¿Cuántos niños hay en 6 equipos?

14. Cuando se suma 36 a un número, el resultado es el mismo que si se multiplica el número por 7. ¿Qué número es?

Lección 6.4   Multiplicar por 8

Completa cada patrón de conteo salteado.

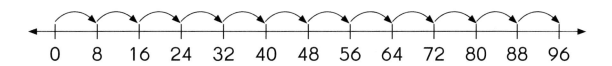

1.   8   16   _____   _____   _____   48

2.   40   _____   _____   _____   72   _____

Escribe los números que faltan.

3.

Tengo 8 tentáculos.

×	1	3	5	9	8	7	4	6	10
8	8	24							

Escribe los números que faltan.

4. $2 \times 8 =$ _____ $\times\ 2 =$ _____

5. $8 + 8 + 8 + 8 + 24 =$ _____ $\times\ 8$

6. $40 =$ _____ $\times\ 8 = 8 \times$ _____

7. $40 + 40 =$ _____ $\times\ 8 +$ _____ $\times\ 8$

  $=$ _____

Resuelve. Muestra el proceso.

8. Keenan gasta $8 por día.
¿Cuánto gasta en una semana?

Lunes	$8
Martes	$8
Miércoles	$8
Jueves	$8
Viernes	$8
Sábado	$8
Domingo	$8

9. La señora Li tiene 9 nietos.
Le regala 8 libros de cuentos a cada nieto.
¿Cuántos libros de cuentos regaló la señora Li en total?

Lección 6.5   Multiplicar por 9

Escribe los números que faltan.

1.

Estoy levantando 9 dedos.

×	1	3	5	9	8	7	4	6	10
9	9	27							

Multiplica. Usa operaciones de multiplicación relacionadas como ayuda.

2.   9 × 9 = 5 grupos de 9 + _____ grupos de 9

   = _____ + _____

   _____

Ó

9 × 9 = 10 grupos de 9 − _____ grupo de 9

   = _____ − _____

   = _____

Resuelve. Muestra el proceso.

3. Pam compra 9 envases de leche.
Paga $4 por cada envase.
¿Cuánto pagó Pam en total?

4. Cuando se suma 56 a un número, el resultado es el mismo
que si se multiplica el número por 9.
¿Qué número es?

Lección 6.6   División: Hallar el número de elementos que hay en cada grupo

Encierra en un círculo para formar grupos iguales.
Luego, escribe los números que faltan.

1.

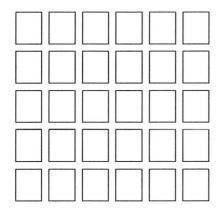

$30 \div 5 =$ _____
Cada grupo tiene

_____ cuadrados.

2.

$48 \div 6 =$ _____
Cada grupo tiene

_____ corazones.

3.

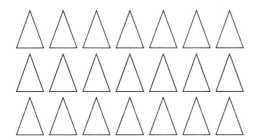

$21 \div 3 =$ _____
Cada grupo tiene

_____ triángulos.

4.

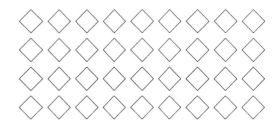

$36 \div 4 =$ _____
Cada grupo tiene

_____ diamantes.

Escribe los números que faltan.

5. 7 × _____ = 56   Entonces, 56 ÷ 7 = _____.

6. 8 × _____ = 72   Entonces, 72 ÷ 8 = _____.

7. 9 × _____ = 54   Entonces, 54 ÷ 9 = _____.

8. 6 × _____ = 42   Entonces, 42 ÷ 6 = _____.

Cada cuadrado es el producto de los círculos que están a ambos lados del cuadrado.
Escribe los números que faltan.
Luego, usa cada operación de multiplicación para escribir dos operaciones de división.

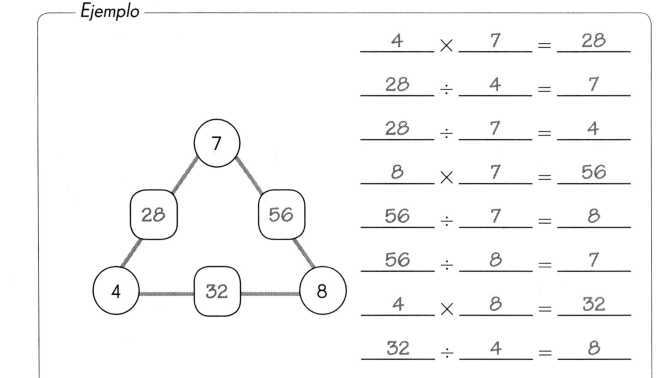

— Ejemplo —

$$\underline{4} \times \underline{7} = \underline{28}$$

$$\underline{28} \div \underline{4} = \underline{7}$$

$$\underline{28} \div \underline{7} = \underline{4}$$

$$\underline{8} \times \underline{7} = \underline{56}$$

$$\underline{56} \div \underline{7} = \underline{8}$$

$$\underline{56} \div \underline{8} = \underline{7}$$

$$\underline{4} \times \underline{8} = \underline{32}$$

$$\underline{32} \div \underline{4} = \underline{8}$$

$$\underline{32} \div \underline{8} = \underline{4}$$

Cada cuadrado es el producto de los círculos que están a ambos lados del cuadrado.
Escribe los números que faltan.
Luego, usa cada operación de multiplicación para escribir dos operaciones de división.

9.

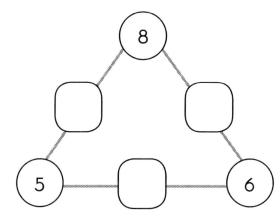

_____ × _____ = _____

_____ ÷ _____ = _____

_____ ÷ _____ = _____

_____ × _____ = _____

_____ ÷ _____ = _____

_____ ÷ _____ = _____

_____ × _____ = _____

_____ ÷ _____ = _____

_____ ÷ _____ = _____

10.

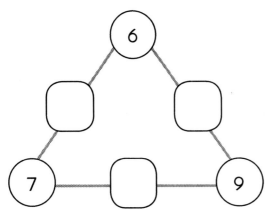

_____ ✕ _____ = _____

_____ ÷ _____ = _____

_____ ÷ _____ = _____

_____ ✕ _____ = _____

_____ ÷ _____ = _____

_____ ÷ _____ = _____

_____ ✕ _____ = _____

_____ ÷ _____ = _____

_____ ÷ _____ = _____

Resuelve. Muestra el proceso.

11. Leo reparte equitativamente 54 adhesivos entre 6 álbumes.
¿Cuántos adhesivos hay en cada álbum?

12. La señora Thomas compra 42 flores.
Reparte equitativamente las flores entre 7 floreros.
¿Cuántas flores hay en cada florero?

13. El señor Li llena 8 cubos con un total de 72 litros de agua.
Cada cubo tiene la misma cantidad de agua.
¿Cuánta agua contiene cada cubo?

14.   Un libro tiene 81 páginas en total.
El libro tiene 9 capítulos.
Cada capítulo tiene el mismo número de páginas.
¿Cuántas páginas tiene cada capítulo?

15. Juan comparte una caja de galletas con otros 6 amigos.
La caja contiene 35 galletas.
¿Cuántas galletas recibió cada niño?

Lección 6.7   División: Formar grupos iguales

Escribe los números que faltan.

1. _____ $\times\ 9 = 72$

$72 \div 9 =$ _____

2. _____ $\times\ 8 = 24$

$24 \div 8 =$ _____

Divide.

3. $56 \div 7 =$ _____

4. $42 \div 6 =$ _____

5. $64 \div 8 =$ _____

6. $81 \div 9 =$ _____

Resuelve. Muestra el proceso.

7. Hay 7 marineros en cada bote.
Hay 63 marineros en total.
¿Cuántos botes hay?

8.   48 niños participan en una competencia de matemáticas.
Los niños están divididos en grupos.
Hay 6 niños en cada grupo.
¿Cuántos grupos hay?

9.   Marco tiene 56 marcadores.
Guarda 8 marcadores en cada caja.
¿Cuántas cajas de marcadores tiene Marco?

¡Ponte la gorra de pensar!

1. Nicole piensa dos números.
    Ambos números son números de 2 dígitos.
    Ambos dígitos son diferentes.
    ¿Cuáles son los números de Nicole?

    Usa las siguientes pistas como ayuda para hallar sus números.

    a. Primer número

    > **Pistas**
    > La suma de sus dos dígitos es igual a 10.
    > El dígito de las decenas es mayor que el dígito
    > de las unidades.
    > Dices el número cuando cuentas de 8 en 8.
    > El número es mayor que la mitad de 100, pero menor
    > que 9×9.

    El primer número de Nicole es _____.

    b. Segundo número

    > **Pistas**
    > La suma de sus dos dígitos es igual a 6.
    > El dígito de las decenas es mayor que el dígito
    > de las unidades.
    > Dices el número cuando cuentas de 6 en 6.
    > También lo dices cuando cuentas de 7 en 7.
    > El número es menor que la mitad de 100.

    El segundo número de Nicole es _____.

2.   Alrededor de una mesa cuadrada se pueden sentar 4 niños.

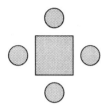

Cuando la señora Smith coloca 2 mesas cuadradas juntas,
se pueden sentar 6 niños alrededor de las dos mesas.

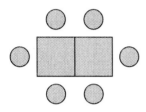

a.   Si la señora Smith coloca 3 mesas cuadradas juntas,
¿cuántos niños pueden sentarse alrededor?

b.   Si coloca 4 mesas cuadradas juntas, ¿cuántos niños pueden
sentarse alrededor?

c.   Si coloca 10 mesas cuadradas juntas, ¿cuántos niños pueden
sentarse alrededor? ¿Cómo hallaste la respuesta?

CAPÍTULO 7 Multiplicación

Lección 7.1   Multiplicación mental

Multiplica mentalmente.

1. $4 \times 3 =$ _____

2. $5 \times 7 =$ _____

3. $9 \times 2 =$ _____

4. $8 \times 3 =$ _____

5. $7 \times 6 =$ _____

6. $4 \times 9 =$ _____

7. $10 \times 3 =$ _____

8. $8 \times 5 =$ _____

9. $6 \times 9 =$ _____

10. $7 \times 7 =$ _____

11. $8 \times 8 =$ _____

12. $9 \times 9 =$ _____

Multiplica mentalmente. Escribe los números que faltan.

13. $4 \times 60 = 4 \times 6$ decenas

$=$ _____ decenas

$=$ _____

14. $4 \times 600 = 4 \times 6$ centenas

$=$ _____ centenas

$=$ _____

15. $7 \times 80 = 7 \times 8$ decenas

$=$ _____ decenas

$=$ _____

16. $7 \times 800 = 7 \times 8$ centenas

$=$ _____ centenas

$=$ _____

17. $9 \times 50 = 9 \times 5$ decenas

        $=$ _____ decenas

        $=$ _____

18. $9 \times 500 = 9 \times 5$ centenas

        $=$ _____ centenas

        $=$ _____

Multiplica mentalmente.

19. $3 \times 40 =$ _____

20. $3 \times 400 =$ _____

21. $4 \times 50 =$ _____

22. $4 \times 500 =$ _____

23. $4 \times 80 =$ _____

24. $4 \times 800 =$ _____

25. $5 \times 90 =$ _____

26. $5 \times 900 =$ _____

27. $6 \times 60 =$ _____

28. $6 \times 600 =$ _____

29. $8 \times 80 =$ _____

30. $8 \times 800 =$ _____

31. $7 \times 30 =$ _____

32. $7 \times 300 =$ _____

33. $7 \times 90 =$ _____

34. $7 \times 900 =$ _____

35. $8 \times 20 =$ _____

36. $8 \times 200 =$ _____

37. $9 \times 40 =$ _____

38. $9 \times 400 =$ _____

39. $9 \times 90 =$ _____

40. $9 \times 900 =$ _____

Lección 7.2   Multiplicar sin reagrupación

Escribe los números que faltan.

1.   22 × 4 = ?

_____ unidades × 4 = _____ unidades

_____ decenas × 4 = _____ decenas

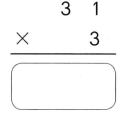

2.   31 × 3 = ?

_____ unidad × 3 = _____ unidades

_____ decenas × 3 = _____ decenas

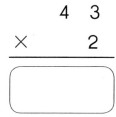

3.   43 × 2 = ?

_____ unidades × 2 = _____ unidades

_____ decenas × 2 = _____ decenas

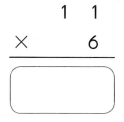

4.   11 × 6 = ?

_____ unidad × 6 = _____ unidades

_____ decena × 6 = _____ decenas

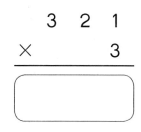

5.   321 × 3 = ?

_____ unidad × 3 = _____ unidades

_____ decenas × 3 = _____ decenas

_____ centenas × 3 = _____ centenas

6. $324 \times 2 = ?$

$$\begin{array}{r} 3 \quad 2 \quad 4 \\ \times \qquad\quad 2 \\ \hline \end{array}$$

_____ unidades $\times 2 =$ _____ unidades

_____ decenas $\times 2 =$ _____ decenas

_____ centenas $\times 2 =$ _____ centenas

Multiplica.

7.
$$\begin{array}{r} 2 \quad 4 \quad 3 \\ \times \qquad\quad 2 \\ \hline \end{array}$$

8.
$$\begin{array}{r} 1 \quad 2 \quad 2 \\ \times \qquad\quad 4 \\ \hline \end{array}$$

9.
$$\begin{array}{r} 2 \quad 0 \quad 2 \\ \times \qquad\quad 4 \\ \hline \end{array}$$

10.
$$\begin{array}{r} 1 \quad 1 \quad 0 \\ \times \qquad\quad 5 \\ \hline \end{array}$$

11.
$$\begin{array}{r} 1 \quad 0 \quad 0 \\ \times \qquad\quad 7 \\ \hline \end{array}$$

12.
$$\begin{array}{r} 1 \quad 0 \quad 1 \\ \times \qquad\quad 9 \\ \hline \end{array}$$

Resuelve. Muestra el proceso.

13. En una visita a un museo, 44 niños recibieron recuerdos de regalo. Cada niño recibió 2 recuerdos. ¿Cuántos recuerdos se regalaron?

14. La maestra Rita arma 21 cintas del cabello idénticas para sus bailarinas. Usa 4 flores para cada cinta. ¿Cuántas flores usó la maestra Rita en total?

15.   Allen prepara 32 postres. Prepara tres veces más sándwiches que postres. ¿Cuántos sándwiches preparó Allen?

16.   Un escritorio cuesta $204.
La señora Tay compra dos escritorios.
¿Cuánto pagó la señora Tay por los escritorios?

Lección 7.3   Multiplicar unidades, decenas y centenas con reagrupación

Escribe los números que faltan.

1. $176 \times 4 = ?$

Paso 1   Multiplica las unidades por 4.

_____ unidades $\times$ 4 = _____ unidades

Reagrupa las unidades.

_____ unidades

= _____ decenas y _____ unidades

Paso 2   Multiplica las decenas por 4.

_____ decenas $\times$ 4 = _____ decenas

Suma las decenas.

_____ decenas + _____ decenas

= _____ decenas

Reagrupa las decenas.

_____ decenas

= _____ centenas y _____ decenas

Paso 3   Multiplica las centenas por 4.

_____ centena $\times$ 4 = _____ centenas

Suma las centenas.

_____ centenas + _____ centenas

= _____ centenas

Entonces, $176 \times 4 =$ _____.

2. $245 \times 3 = ?$

> Paso 1   Multiplica las unidades por 3.
>
>   _____ unidades $\times$ 3 = _____ unidades
>
>   Reagrupa las unidades.
>
>   _____ unidades
>
>   = _____ decena y _____ unidades

> Paso 2   Multiplica las decenas por 3.
>
>   _____ decenas $\times$ 3 = _____ decenas
>
>   Suma las decenas.
>
>   _____ decenas + _____ decena
>
>   = _____ decenas
>
>   Reagrupa las decenas.
>
>   _____ decenas
>
>   = _____ centena y _____ decenas

> Paso 3   Multiplica las centenas por 3.
>
>   _____ centenas $\times$ 3 = _____ centenas
>
>   Suma las centenas.
>
>   _____ centenas + _____ centena
>
>   = _____ centenas
>
>   Entonces, $245 \times 3 =$ _____.

3. $147 \times 4 = ?$

Paso 1 Multiplica las unidades por 4.

_____ unidades $\times$ 4 = _____ unidades

Reagrupa las unidades.

_____ unidades

= _____ decenas y _____ unidades

Paso 2 Multiplica las decenas por 4.

_____ decenas $\times$ 4 = _____ decenas

Suma las decenas.

_____ decenas + _____ decenas

= _____ decenas

Reagrupa las decenas.

_____ decenas

= _____ centena y _____ decenas

Paso 3 Multiplica las centenas por 4.

_____ centenas $\times$ 4 = _____ centenas

Suma las centenas.

_____ centenas + _____ centena

= _____ centenas

Entonces, $147 \times 4 = $ _____.

Multiplica.

4.
```
    3  5  8
×        2
```

5.
```
    1  6  7
×        5
```

6.
```
    1  3  4
×        7
```

7.
```
    1  5  2
×        6
```

8.
```
    4  9  9
×        2
```

9.
```
    2  3  5
×        4
```

10.
```
    2  6  9
×        2
```

11.
```
    3  5  8
×        2
```

12.
```
    2  4  6
  ×        4
  ┌─────────┐
  │         │
  └─────────┘
```

13.
```
    1  2  7
  ×        5
  ┌─────────┐
  │         │
  └─────────┘
```

14.
```
    1  2  6
  ×        7
  ┌─────────┐
  │         │
  └─────────┘
```

15.
```
    1  8  5
  ×        5
  ┌─────────┐
  │         │
  └─────────┘
```

Resuelve. Muestra el proceso.

16.   Yiyí ahorra $285 por año.
¿Cuánto dinero ahorrará en 3 años?

17. Jessie importa 458 rosas por mes. ¿Cuántas rosas importó en 2 meses?

18. Rafi hornea 164 refrigerios por día. ¿Cuántos refrigerios horneó en 6 días?

 **¡Ponte la gorra de pensar!**

Resuelve. Reagrupa las unidades y las decenas al multiplicar.

¿Cuántas soluciones diferentes puedes hallar para cada uno de estos problemas?

Ejemplo

a.
$$\begin{array}{r} \boxed{2}\ \boxed{0} \\ \times\ \ \boxed{7} \\ \hline 1\ \ 4\ \ 0 \end{array}$$

b.
$$\begin{array}{r} \boxed{7}\ \boxed{0} \\ \times\ \ \boxed{2} \\ \hline 1\ \ 4\ \ 0 \end{array}$$

c.
$$\begin{array}{r} \boxed{3}\ \boxed{5} \\ \times\ \ \boxed{4} \\ \hline 1\ \ 4\ \ 0 \end{array}$$

1.

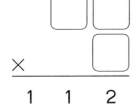

a.
$$\begin{array}{r} \boxed{}\ \boxed{} \\ \times\ \ \boxed{} \\ \hline 1\ \ 1\ \ 2 \end{array}$$

b.
$$\begin{array}{r} \boxed{}\ \boxed{} \\ \times\ \ \boxed{} \\ \hline 1\ \ 1\ \ 2 \end{array}$$

c.
$$\begin{array}{r} \boxed{}\ \boxed{} \\ \times\ \ \boxed{} \\ \hline 1\ \ 1\ \ 2 \end{array}$$

2.

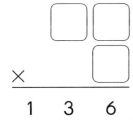

a.
$$\begin{array}{r} \boxed{}\ \boxed{} \\ \times\ \ \boxed{} \\ \hline 1\ \ 3\ \ 6 \end{array}$$

b.
$$\begin{array}{r} \boxed{}\ \boxed{} \\ \times\ \ \boxed{} \\ \hline 1\ \ 3\ \ 6 \end{array}$$

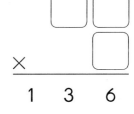

c.
$$\begin{array}{r} \boxed{}\ \boxed{} \\ \times\ \ \boxed{} \\ \hline 1\ \ 3\ \ 6 \end{array}$$

Ordena los números.

3.   ¿Cuántos números de 3 dígitos diferentes puedes formar
con los siguientes números

8   6   5

a.   si puedes usar cada dígito solo una vez?

b.   si puedes usar cada dígito más de una vez?

4.   Halla el producto mayor y el producto menor con los siguientes
4 dígitos. Usa cada dígito solo una vez.

8   5   4   6

a.   El producto mayor   **b.**   El producto menor

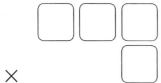   

CAPÍTULO 8 División

Lección 8.1 División mental

Piensa en las operaciones de multiplicación de 6, 7, 8 y 9. Luego, escribe los números que faltan.

1. _____ $\times$ 6 = 48   48 ÷ 6 = _____

2. _____ $\times$ 8 = 72   72 ÷ 8 = _____

3. _____ $\times$ 7 = 56   56 ÷ 7 = _____

4. _____ $\times$ 9 = 54   54 ÷ 9 = _____

5. _____ $\times$ 7 = 49   49 ÷ 7 = _____

6. _____ $\times$ 6 = 54   54 ÷ 6 = _____

7. _____ $\times$ 8 = 64   64 ÷ 8 = _____

8. _____ $\times$ 7 = 63   63 ÷ 7 = _____

9. _____ $\times$ 6 = 42   42 ÷ 6 = _____

10. _____ $\times$ 9 = 81   81 ÷ 9 = _____

Completa los espacios en blanco.

11. $360 \div 9 =$ _____ decenas $\div$ 9

   $=$ _____ decenas

   $=$ _____

12. $800 \div 4 =$ _____ centenas $\div$ 4

   $=$ _____ centenas

   $=$ _____

Divide. Usa operaciones de multiplicación relacionadas y patrones como ayuda.

13. $48 \div 8 =$ _____

14. $480 \div 8 =$ _____

15. $21 \div 7 =$ _____

16. $210 \div 7 =$ _____

17. $36 \div 9 =$ _____

18. $360 \div 9 =$ _____

19. $240 \div 6 =$ _____

20. $420 \div 7 =$ _____

21. $350 \div 5 =$ _____

22. $720 \div 9 =$ _____

23. $810 \div 9 =$ _____

24. $640 \div 8 =$ _____

Lección 8.2   Cociente y residuo

Encierra en un círculo los grupos iguales y halla el residuo.
Luego, escribe los números que faltan.

1.

4 niños reparten equitativamente 23 adhesivos.

23 unidades ÷ 4 = [   ] R [   ]

Cociente = [   ] unidades

Residuo = [   ] unidades

Cada niño tiene _____ adhesivos.

Quedan _____ adhesivos como resto.

2.

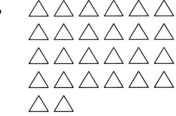

6 amigos reparten 26 porciones de pizza.

26 unidades ÷ 6 = [   ] R [   ]

Cociente = [   ] unidades

Residuo = [   ] unidades

Cada amigo tiene _____ porciones de pizza.

Quedan _____ porciones de pizza como resto.

Escribe los números que faltan.

3. $39 \div 8 =$ [ ] R [ ]

4. $35 \div 4 =$ [ ] R [ ]

5. $59 \div 9 =$ [ ] R [ ]

6. $60 \div 7 =$ [ ] R [ ]

7. $68 \div 8 =$ [ ] R [ ]

8. $70 \div 9 =$ [ ] R [ ]

9. $63 \div 6 =$ [ ] R [ ]

10. $42 \div 5 =$ [ ] R [ ]

11. $28 \div 3 =$ [ ] R [ ]

12. $53 \div 7 =$ [ ] R [ ]

Lección 8.3   División sin residuo ni reagrupación

Divide. Luego, resuelve.

1.
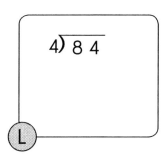

4) 8 4

L

2.
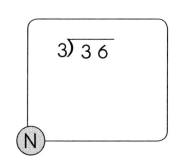

3) 3 6

N

3.
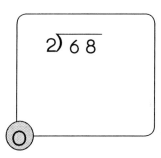

2) 6 8

O

4.
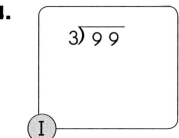

3) 9 9

I

5.
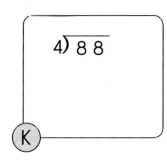

4) 8 8

K

6.
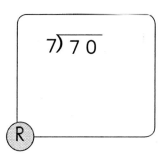

7) 7 0

R

7.
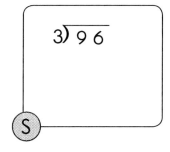

3) 9 6

S

8.
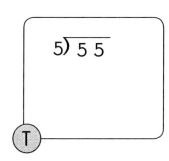

5) 5 5

T

9.
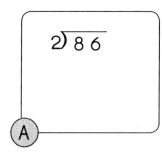

2) 8 6

A

10.
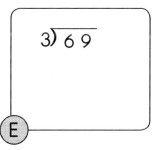

3) 6 9

E

11.
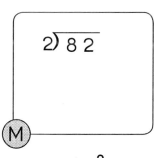

2) 8 2

M

12.
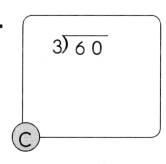

3) 6 0

C

¿Qué animal lleva su casa a cuestas?

Empareja las letras y los cocientes abajo para hallar la respuesta.

____ ____   ____ ____ ____ ____ ____ ____ ____
(23) (21)   (20) (43) (10) (43) (20) (34) (21)

Resuelve. Muestra el proceso.

13. Renée hornea 63 refrigerios.
Los reparte equitativamente en 3 frascos.
¿Cuántos refrigerios hay en cada frasco?

14. Calvin ordena 80 sillas en 8 hileras iguales.
¿Cuántas sillas hay en cada hilera?

Nombre: _____   **Fecha:** _____

Lección 8.4   División con reagrupación de decenas y unidades

Divide. Usa bloques de base diez como ayuda.

1.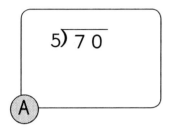

$5\overline{)70}$

A

2.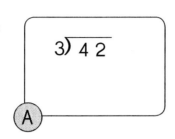

$3\overline{)42}$

A

3.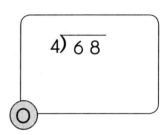

$4\overline{)68}$

O

4.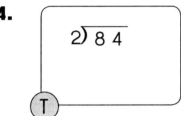

$2\overline{)84}$

T

5.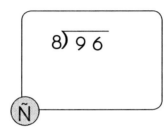

$8\overline{)96}$

Ñ

6.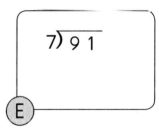

$7\overline{)91}$

E

7.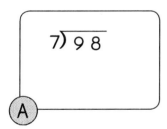

$7\overline{)98}$

A

8.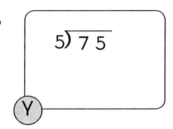

$5\overline{)75}$

Y

9.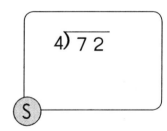

$4\overline{)72}$

S

10.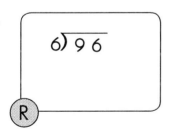

$6\overline{)96}$

R

11.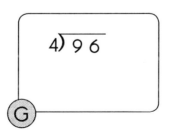

$4\overline{)96}$

G

12.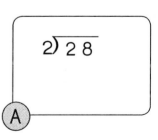

$2\overline{)28}$

A

¿Por qué se dice que el gato es dos animales a la vez?

Completa con las letras que se emparejan con los siguientes cocientes.

¡ ____ ____   ____ ____ ____ ____   ____
   (13) (18)   (24) (14) (42) (17)   (15)

____ ____ ____ ____ ____!
(14) (16) (14) (12) (14)

Resuelve. Muestra el proceso.

13. El dueño de una tienda vende 72 ciruelas en 3 días.
Vende igual número de ciruelas cada día.
¿Cuántas ciruelas vendió el dueño de la tienda en un día?

14. El señor Tee ordena equitativamente 64 sillas en 4 círculos.
¿Cuántas sillas hay en cada círculo?

 **¡Ponte la gorra de pensar!**

1. Sharon está pensando en un número.
Es un número par que está entre 300 y 400.
Es divisible entre 5 y también entre 9.
¿En qué número está pensando Sharon?

301, 302, 303, ..., 395, 396, 397, 398, 399

Resuelve. Muestra el proceso.

2.   Una abuelita tiene algunos adhesivos.
Si da 6 adhesivos a cada uno de sus nietos,
le quedarán 5 adhesivos.
Si da 7 adhesivos a cada uno de sus nietos,
necesitará 2 adhesivos más.

    a.   ¿Cuántos adhesivos tiene la abuelita?

    b.   ¿Cuántos nietos tiene la abuelita?

Escribe los números que faltan.

3.   Soy un número impar de 2 dígitos.
Estoy entre 50 y 100.
La diferencia entre mis dígitos es igual a 3.
No dejo un residuo cuando me dividen entre 7.

    Soy el número _____.

4.   Soy un número impar de 2 dígitos.
Soy menor que 50.
La suma de mis dígitos es igual a 9.
No dejo un residuo cuando me dividen entre 5.

    Soy el número _____.

Modelos de barras: Multiplicación y división

Lección 9.1   Problemas cotidianos: La multiplicación

Resuelve. Dibuja modelos de barras como ayuda.

1.   Un avión tiene 450 asientos.
Hay 4 veces más asientos en el tren que en el avión.
¿Cuántos asientos hay en el tren?

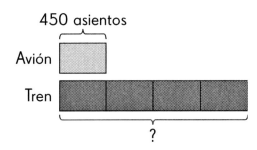

2.   Un refrigerador cuesta 5 veces más que un televisor.
El televisor cuesta $429.
¿Cuánto cuesta el refrigerador?

Resuelve. Dibuja modelos de barras como ayuda.

3.   La ciudad X está a 329 kilómetros de la ciudad Y.
La ciudad Z está 9 veces más lejos de la ciudad Y que la ciudad X.
¿A qué distancia está la ciudad Z de la ciudad Y?

4.   Hay 965 canicas en la caja.
Hay 8 veces más canicas en el recipiente que en la caja.
¿Cuántas canicas hay en el recipiente?

Lección 9.2   Problemas cotidianos: Problemas de dos pasos con multiplicación

Resuelve. Dibuja modelos de barras como ayuda.

1. Lilian vendió 457 entradas para el parque de diversiones.
    Rohani vendió 3 veces más entradas que Lilian.

    a. ¿Cuántas entradas vendió Rohani?

    b. ¿Cuántas entradas menos que Rohani vendió Lilian?

2. Los estudiantes de la clase 3A compran 500 paquetes de semillas
    para sembrar un jardín ecológico.
    El lunes usan 27 paquetes de semillas.
    El martes usan el doble de paquetes de semillas que el lunes.
    ¿Cuántos paquetes de semillas les quedaron?

Resuelve. Dibuja modelos de barras como ayuda.

3. La señora Johnson compra 68 postes y un poco de alambre
para hacer una cerca.
Cada poste cuesta $7.
El alambre cuesta $46.
¿Cuánto pagó la señora Johnson por los postes y el alambre?

4. Alice tiene 168 canicas.
Ben tiene 4 veces más canicas que Alice.
Cindy tiene 28 canicas más que Ben.

    a. ¿Cuántas canicas tiene Ben?

    b. ¿Cuántas canicas tiene Cindy?

Lección 9.3   Problemas cotidianos: La división

Resuelve. Dibuja modelos de barras como ayuda.

1.   En la playa, 6 niños recogen un total de 96 conchas marinas.
      Reparten equitativamente las conchas marinas.
      ¿Cuántas conchas marinas tiene cada niño?

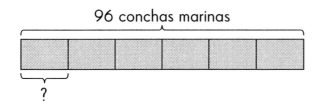

96 conchas marinas

?

2.   Desmond y Melissa coleccionan tarjetas.
      Tienen 92 tarjetas en total.
      Melissa tiene 3 veces más tarjetas que Desmond.
      ¿Cuántas tarjetas tiene Desmond?

Resuelve. Dibuja modelos de barras como ayuda.

3. Lynette gasta $95 en un par de zapatos y un monedero.
El par de zapatos cuesta 4 veces más que el monedero.
¿Cuánto pagó Lynette por el monedero?

4. En un estante hay 84 libros.
Hay el doble de libros de no ficción que de ficción.
¿Cuántos libros de ficción hay en el estante?

Lección 9.4   Problemas cotidianos: Problemas de dos pasos con división

Resuelve. Dibuja modelos de barras como ayuda.

1. Sophia prepara 38 emparedados de queso y
46 emparedados de atún.
Acomoda los emparedados poniendo cantidades iguales en 3 platos.
¿Cuántos emparedados hay en cada plato?

2. María tiene $500.
Compra un par de zapatos en $108.
Les da el resto del dinero a sus 4 sobrinas.
Sus sobrinas se reparten equitativamente el dinero.

  a. ¿Cuánto dinero les dio María a sus 4 sobrinas?

  b. ¿Cuánto dinero recibió cada sobrina?

Resuelve. Dibuja modelos de barras como ayuda.

3.   Kevin compra una mesa y 8 sillas idénticas en $294.
La mesa cuesta $198.
¿Cuánto costó cada silla?

4.   Un florista compra 4 cajas de claveles.
Hay 21 claveles en cada caja.
El florista hace ramos de 6 claveles cada uno.
¿Cuántos ramos de claveles hay?

Resuelve. Usa letras para representar los números desconocidos.

5.   Joan horneó 15 pastelitos.
Kenny horneó 2 veces la cantidad de pastelitos que horneó Joan.
Cynthia horneó 12 pastelitos más que Kenny.

   a.   ¿Cuántos pastelitos horneó Cynthia?

   b.   ¿Cuántos pastelitos hornearon los tres niños en total?

6.   En un salón de una escuela hay 200 sillas.
Michael quita algunas sillas del salón.
Ordena el resto de las sillas en 10 filas.
En cada fila hay 16 sillas.
¿Cuántas sillas quitó Michael?

Resuelve. Usa letras para representar los números desconocidos.

7. Matthew y May quieren comprar un regalo de cumpleaños
para su mamá.
May tiene 3 veces la cantidad de dinero que tiene Matthew.
El regalo cuesta $50.
Después de comprar el regalo, les quedan $70.
¿Cuánto dinero tenía Matthew al principio?

8. Hay 66 estudiantes que van a un paseo en 2 autobuses.
En el Autobús A hay 6 estudiantes más que en el Autobús B.
En cada autobús hay 2 maestros.
¿Cuántos maestros y estudiantes hay en el Autobús B?

¡Ponte la gorra de pensar!

Resuelve. Muestra el proceso.

1. Una tienda registra sus ventas de juguetes en la siguiente tabla.

Mes	Número de juguetes vendidos
Enero	180
Febrero	90 más que en enero
Marzo	3 veces más que en febrero
Abril	320 menos que en marzo

a. ¿Cuántos juguetes vendieron en febrero?

b. ¿Cuántos juguetes vendieron en marzo?

c. ¿Cuántos juguetes vendieron en abril?

d. ¿Cuántos juguetes vendieron en total durante los cuatro meses?

Resuelve. Muestra el proceso.

2.   Teresa y Nancy hacen 135 insignias para un proyecto
para recaudar fondos.
Teresa hace 37 insignias más que Nancy.
¿Cuántas insignias hizo Teresa?

3.   Alex y Jim tienen igual cantidad de dinero.
Todos los días, Alex gasta $5 y Jim gasta $3.
Cuando a Alex le quedan $8, a Jim le queda 4 veces
más dinero que a Alex.
¿Cuánto dinero tenía cada niño al principio?

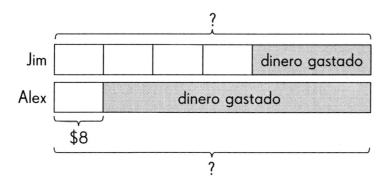

4.   Halla una manera fácil de sumar los números de 1 a 10.

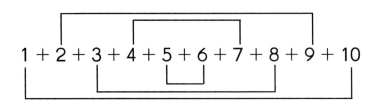

$$1 + 2 + 3 + 4 + 5 + 6 + 7 + 8 + 9 + 10$$

Cada uno de los pares de números que se muestran arriba suman 11.

Entonces, $1 + 2 + 3 + 4 + 5 + 6 + 7 + 8 + 9 + 10 = 11 \times 5$
$$= 55$$

Usa el método anterior para hallar las sumas de los siguientes números.

a. $1 + 2 + 3 + 4 + 5 + ... + 17 + 18 + 19 + 20$

b.   1 + 2 + 3 + 4 + 5 + ... + 37 + 38 + 39 + 40

c.   11 + 22 + 33 + 44 + 55 + 66 + 77 + 88 + 99

Escribe los dígitos que faltan para que los enunciados sean verdaderos.

5. La tabla explica pruebas de divisibilidad. Puedes saber si un número es divisible entre 2, 3, 4, 5, 9 ó 10 si observas los dígitos del número.

Un número es divisible entre...	... si...
2	el dígito de las unidades es par (0, 2, 4, 6 u 8).
5	el dígito de las unidades es 0 ó 5.
10	el dígito de las unidades es 0.
4	los dos últimos dígitos del número son divisibles entre 4.
3	la suma de los dígitos del número es divisible entre 3.
9	la suma de los dígitos del número es divisible entre 9.

Ejemplo

El número 9,864 es divisible entre 9 porque la suma de los dígitos es divisible entre 9.

$9 + 8 + 6 + 4 = 27$

27 es divisible entre 9.

a. 7 _____ 6 es divisible entre 3.

b. 9 _____ 2 es divisible entre 4.

c. 27 _____ es divisible entre 5.

d. 9 _____ 4 es divisible entre 3.

e. 59 _____ es divisible entre 4.

f. 53 _____ es divisible entre 2.

g. 6 _____ 4 es divisible entre 9.

h. 7 _____ 8 es divisible entre 4.

i. _____ 57 es divisible entre 9.

j. 9 _____ 8 es divisible entre 9.

Preparación para la prueba semestral

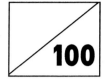

Opción múltiple (20 × 2 puntos = 40 puntos)

Sombrea el círculo que está junto a la respuesta correcta.

1. ¿Cuál de los siguientes números tiene el dígito 7 en el lugar de los millares?

   (A) 6,970   (B) 7,906   (C) 9,607   (D) 9,760

2. ¿Cuál es el valor del dígito 8 en el número 5,893?

   (A) 8 unidades   (B) 8 decenas

   (C) 8 centenas   (D) 8 millares

3. 3,085 es 10 decenas más que _____.

   (A) 2,985   (B) 3,075   (C) 3,095   (D) 3,185

4. Nueve mil cuatrocientos tres escrito en de forma normal es _____.

   (A) 9,034   (B) 9,043   (C) 9,403   (D) 9,430

5. En 5,786, el dígito 5 tiene el mismo valor que _____.

   (A) 5×1 (B) 5×10

   (C) 5×100 (D) $5 \times 1,000$

6.   ¿Cuál de estos números es el número par mayor?

(A) 6,000 + 800 + 20 + 4

(B) 6,000 + 700 + 80 + 8

(C) 6,000 + 800 + 50 + 8

(D) 6,000 + 700 + 60 + 6

7.   Completa el patrón numérico:

189, 209, 249, 329, _____, 809

(A) 429   (B) 449   (C) 489   (D) 569

8.   Cuando se suma 328 a 79 $\times$ 4, el valor es igual a _____.

(A) 316   (B) 407   (C) 411   (D) 644

9.   Divido un número entre 3 y resto 85 del cociente para formar 190. ¿Qué número es?

(A) 35   (B) 92   (C) 315   (D) 825

10.   Divide 87 entre 6. El residuo es igual a _____.

(A) 2   (B) 3   (C) 4   (D) 5

11. $36 \times 2 = \boxed{} \times 4$. El número que falta es _____.

    (A) 12   (B) 14   (C) 16   (D) 18

12. 30 decenas es _____ más que 49 cincos.

    (A) 19   (B) 55   (C) 75   (D) 251

13. ¿Cuál es el producto de 346 y 9?

    (A) 300 + 14

    (B) 3,000 + 14

    (C) 300 + 100 + 4

    (D) 3,000 + 100 + 14

14. Jane tiene $298.
Linda tiene $47 más que Jane.
¿Cuánto dinero tienen en total?

    (A) $251   (B) $345   (C) $549   (D) $643

15. María coloca 6 tartas en cada caja.
María tiene 56 cajas de tartas y le sobran 4 tartas.
¿Cuántas tartas tiene?

    (A) 310   (B) 332   (C) 336   (D) 340

16. Ian compra algunas revistas a $8 cada una.
Le da $100 al cajero y recibe $4 de cambio.
¿Cuántas revistas compró Ian?

(A) 8   (B) 9   (C) 11   (D) 12

17. Nara tiene un total de 96 cuentas azules y rojas. Tiene tres veces más cuentas azules que cuentas rojas. ¿Cuántas cuentas rojas tiene Nara?

(A) 24   (B) 32   (C) 93   (D) 288

18. Hay 120 páginas en un libro. Joni lee 12 páginas por día.
¿Cuántas páginas le quedaron por leer después de 6 días?

(A) 20   (B) 48   (C) 72   (D) 108

19. Hay un total de 15 bicicletas y triciclos.
Hay 36 ruedas en total. ¿Cuántos triciclos hay?

(A) 6   (B) 7   (C) 8   (D) 9

20.
$$2 \times \square\!\!\!+ + 2 \times \pentagon + \triangle = 67$$
$$\square\!\!\!+ + \pentagon = 30$$
$$\pentagon + \triangle = 25$$
$$\square\!\!\!+ = \underline{\qquad}$$

(A) 16   (B) 14   (C) 12   (D) 8

Respuesta corta (20 × 2 puntos = 40 puntos)

Escribe tu respuesta en el espacio dado.

21.   Escribe el número cinco mil seiscientos nueve de forma normal.

Respuesta: _____

22.   El valor del dígito 7 en 3,786 es _____.

Respuesta: _____

23.   Multiplica 124 por 8.

Respuesta: _____

24.   El producto de dos números es igual a 91.
Si uno de los números es 7, el otro número es _____.

Respuesta: _____

25. Usa cada uno de los siguientes dígitos solo una vez para formar el mayor número par de 4 dígitos.

4   7   6   3

Respuesta: _____

26. Usa cada uno de los siguientes dígitos solo una vez para hallar el mayor producto de un número de 3 dígitos por un número de 1 dígito.

3   5   6   7

☐ ☐ ☐
×   ☐
_____

Respuesta: _____

27. 7 grupos de 150 es _____ menos que 9 grupos de 130.

Respuesta: _____

28. Un refrigerador cuesta $295 más que un horno.
El horno cuesta $325.
¿Cuánto cuesta el refrigerador?

Respuesta: $_____

29. Cuando se divide un número entre 5, tiene un cociente de 136 y un residuo de 3. ¿Qué número es?

Respuesta: _____

30. Sofía empaca por partes iguales 84 galletas saladas en 6 cajas.
¿Cuántas galletas saladas hay en cada caja?

Respuesta: _____ galletas saladas

31.   Muthu tiene 4 veces más dinero que Raquel.
Muthu tiene $92. ¿Cuánto dinero tiene Raquel?

Respuesta: $_____

32.   Joel tiene 169 canicas.
Leonardo tiene 3 veces más canicas que Joel.

Tienen _____ canicas en total.

Respuesta: _____

33.   Completa el siguiente patrón numérico.

1, 2, 3, 5, 8, 13, 21, _____, _____

Respuesta: _____

34.   Halla la suma de 1 + 2 + 3 + 4 + 5 + ······ + 97 + 98 + 99 + 100.

Respuesta: _____

35.   ¿Cuál es el número que falta?

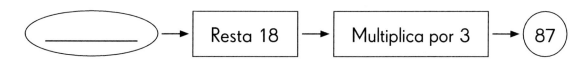

Respuesta: _____

36.   El señor Warren paga $240 en total por una mesa y 5 sillas.

Cada silla cuesta $9. La mesa cuesta $_____.

Respuesta: $_____

37. La suma de dos números es igual a 300.
Un número es 206 más que el otro número.
¿Cuál es el valor del número más pequeño?

Respuesta: _____

38. Pauline tiene 104 estampillas.
Joyce tiene 36 estampillas menos que Pauline.
Fiona tiene 58 estampillas más que Joyce.

Fiona tiene _____ estampillas.

Respuesta: _____

39.   □□□□ + △ = 172

□□ + △ = 100

△ = _____

Respuesta: _____

40.   Grace tiene 78 adhesivos.
Tiene 3 veces más adhesivos que Matthew.
¿Cuántos adhesivos tienen en total?

Respuesta: _____ adhesivos

Respuesta desarrollada (5 × 4 puntos = 20 puntos)

Resuelve. Muestra el proceso.

41. Una cafetería vende 148 pastelitos.
Vende 65 emparedados más que pastelitos.
¿Cuántos emparedados y pastelitos vendió la cafetería?

Respuesta: _____ pastelitos y emparedados

42. Roger hornea 165 pastelitos.
Después de vender 87 pastelitos, reparte equitativamente el resto
entre 6 vecinos.
¿Cuántos pastelitos recibió cada vecino?

Respuesta: _____ pastelitos

43. Anne tiene 37 libros.
Bobby tiene 4 veces más libros que Anne.
Clara tiene 69 libros menos que Bobby.
¿Cuántos libros tiene Clara?

Respuesta: _____ libros

44. El domingo, una florista vende 96 rosas.
Vende 4 veces más rosas que azucenas.
Vende 78 claveles más que azucenas.
¿Cuántos claveles vendió la florista?

Respuesta: _____ claveles

45. Hay 765 canicas en una caja.
Hay el doble de canicas azules que de canicas verdes.
Hay 3 veces más canicas rojas que canicas azules.
¿Cuántas canicas rojas hay en la caja?

Respuesta: _____ canicas rojas

Respuestas

Capítulo 1

Lección 1.1

1. 5,005
2. 3,029
3. 7,400
4. 9,919
5. 8,088
6. seis mil novecientos
7. tres mil setenta y siete
8. cuatro mil seiscientos veintiuno
9. dos mil ciento noventa y ocho
10. 6 millares, 0 centenas, 9 decenas y 6 unidades = 6,096
11. 9 millares, 3 centenas, 4 decenas y 0 unidades = 9,340
12. 3,965; 4,065; 4,165
13. 7,823; 7,923; 8,023
14. 3,798; 4,798; 5,798
15. 6,321; 7,321; 8,321
16. 3,874; 3,864; 3,854
17. 5,743; 5,732; 5,722
18. 6,205; 5,205; 4,205
19. 4,127; 3,127; 2,127
20. 8,915
21. 9,427
22. 8,365
23. 6,728
24. 5,761
25. 7,495

Lección 1.2

1. 7, 2 5 6

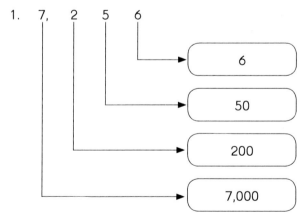

2. 300; 9; 8,000; 40
3. las decenas; 90
4. 6; las centenas
5. 2; los millares
6. las unidades; 8
7. 900
8. 2,000
9. 8
10. 3,192
11. 1,889

Lección 1.3

1. 2,713
2. 4,566
3. 6,256
4. 4,100
5. 8,300
6. 8,875
7. 8,928
8. 7,040
9. 7,533
10. 10
11. 400
12. 3,000
13. 20
14. 100
15. 1,000
16. 500
17. 2,000
18. 700
19. 1,000
20. 100
21. 2,000
22. 2,476
23. 8,800
24. >
25. >
26. <
27. <
28. 5,237, 3,725, 3,572, 3,275
29. 8,496, 8,694, 8,946, 8,964
30. 4,065, 4,265
31. 7,799, 7,779
32. 4,580, 8,580
33. 6,225, 6,175
34. La calabaza es más pesada que la sandía.
35. El recipiente X contiene más agua que el recipiente Y.
36. El edificio A es más alto que el edificio B.
37. El televisor A cuesta más que el televisor B.

¡Ponte la gorra de pensar!

Destrezas de razonamiento: Comparar, Identificar patrones y relaciones
Estrategia: Adivinar y comprobar

1. Pista 1: Es un número de 4 dígitos.

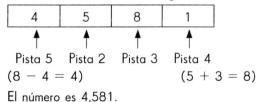

El número es 4,581.

2. 36, 49, 64
3. 1,600, 2,200, 2,900

Destrezas de razonamiento: Comparar, Identificar patrones y relaciones
Estrategia: Adivinar y comprobar

4. 18
5. 4,067
6. 7,640
7. 96

Lección 2.1

1. $36 + 50 = 86$
   $86 + 7 = 93$
   Entonces, $36 + 57 = 93$.

   57 → 50, 7

2. $19 + 50 = 69$
   $69 + 6 = 75$
   Entonces, $19 + 56 = 75$.

   56 → 50, 6

3. $15 + 50 = 65$
   $65 - 2 = 63$
   Entonces, $15 + 48 = 63$.

   50 → 48, 2

4. $26 + 50 = 76$
   $76 - 3 = 73$
   Entonces, $26 + 47 = 73$.

   50 → 47, 3

5. 84 6. 83

7. 84 8. 105

9. 114 10. 103

Lección 2.2

1. $73 - 50 = 23$
   $23 - 8 = 15$
   $73 - 58 = 15$

   58 → 50, 8

2. $84 - 30 = 54$
   $54 - 7 = 47$
   $84 - 37 = 47$

   37 → 30, 7

3. $94 - 50 = 44$
   $44 - 5 = 39$
   $94 - 55 = 39$

   55 → 50, 5

4. $75 - 40 = 35$
   $35 + 2 = 37$
   Entonces, $75 - 38 = 37$.

   40 → 38, 2

5. $83 - 50 = 33$
   $33 + 5 = 38$
   Entonces, $83 - 45 = 38$.

   50 → 45, 5

6. 62 7. 25

8. 47 9. 27

10. 32 11. 47

Lección 2.3

1. $38 + 100 = 138$
   $138 - 5 = 133$
   Entonces, $38 + 95 = 133$.

   100 → 95, 5

2. $47 + 100 = 147$
   $147 - 2 = 145$
   Entonces, $47 + 98 = 145$.

   100 → 98, 2

3. $86 + 100 = 186$
   $186 - 4 = 182$
   Entonces, $86 + 96 = 182$.

   100 → 96, 4

4. $78 + 100 = 178$
   $178 - 1 = 177$
   Entonces, $78 + 99 = 177$.

   100 → 99, 1

5. $66 + 100 = 166$
   $166 - 2 = 164$
   Entonces, $66 + 98 = 164$.

   100 → 98, 2

6. 124 7. 113

8. 145 9. 168

10. 170 11. 183

12. 151 13. 131

14. 141 15. 176

Lección 2.4

1. $140; 100$ 2. $660; 700$

3. $1,100; 1,000$ 4. $8,570; 8,600$

5. $4,400; 4,400$

6. 800 7. 500

8. 600 9. $8,000$

10. $849; 750$ 11. $7,649; 7,550$

12. $1,000; 300; 500;$ Sí

13. $780 + 230 = 1,010$
    780 es aproximadamente 800.
    230 es aproximadamente 200.
    $800 + 200 = 1,000$
    Entonces, $780 + 230$ es
    aproximadamente 1,000.
    1,010 está cerca de 1,000; entonces,
    el resultado es razonable.

14. $748 - 319 = 429$
    748 es aproximadamente 700.
    319 es aproximadamente 300.
    $700 - 300 = 400$
    Entonces, $748 - 319$ es
    aproximadamente 400.
    400 está cerca de 429; entonces,
    el resultado es razonable.

15. $527 - 288 = 239$
    527 es aproximadamente 500.
    288 es aproximadamente 300.
    $500 - 300 = 200$
    Entonces, $527 - 288$ es
    aproximadamente 200.
    200 está cerca de 239; entonces,
    el resultado es razonable.

Lección 2.5

1. $268 + 323 = \underline{591}$
   $\underline{200} + \underline{300} = \underline{500}$
   La suma estimada es $\underline{500}$.
   El resultado $\underline{591}$ es razonable.

2. $479 + 624 = \underline{1{,}103}$
   $\underline{400} + \underline{600} = \underline{1{,}000}$
   La suma estimada es $\underline{1{,}000}$.
   El resultado $\underline{1{,}103}$ es razonable.

3. $574 - 296 = \underline{278}$
   $\underline{500} - \underline{200} = \underline{300}$
   La diferencia estimada es $\underline{300}$.
   Sí. El resultado 278 es razonable.

4. $916 - 378 = \underline{538}$
   $\underline{900} - \underline{300} = \underline{600}$
   La diferencia estimada es $\underline{600}$.
   Sí. El resultado 538 es razonable.

5. $260 + 350 = \underline{610}$
   $\underline{200} + \underline{300} = \underline{500}$
   La suma estimada es $\underline{500}$.
   Sí. El resultado 610 es razonable.

6. $425 + 272 = \underline{697}$
   $\underline{400} + \underline{200} = \underline{600}$
   La suma estimada es $\underline{600}$.
   Sí. El resultado 697 es razonable.

7. $590 - 466 = \underline{124}$
   $\underline{500} - \underline{400} = \underline{100}$
   La diferencia estimada es $\underline{100}$.
   Sí. El resultado 124 es razonable.

8. $780 - 690 = \underline{90}$
   $\underline{700} - \underline{600} - \underline{100}$
   La diferencia estimada es $\underline{100}$.
   Sí. El resultado 90 es razonable.

9. Las respuestas variarán.
   Ejemplo:
   136 es aproximadamente 100.
   $100 \times 2 = 200$
   $200 + 100 = 300$
   Beatrice y su hermano tienen aproximadamente 300 libros en total.

10. Las respuestas variarán.
    Ejemplo:
    548 es aproximadamente 500.
    470 es aproximadamente 400.
    $500 + 400 = 900$
    El almacenero vendió aproximadamente 900 frutas en total.

11. Las respuestas variarán.
    Ejemplo:
    650 es aproximadamente 600.
    480 es aproximadamente 400.
    $600 - 400 = 200$
    La diferencia es aproximadamente 200 metros.

¡Ponte la gorra de pensar!

1. Destreza de razonamiento: Identificar patrones y relaciones
   $134 + 53 = \underline{187}$
   $\underline{78} + 47 = \underline{125}$
   $22 + \underline{54} = \underline{76}$
   $\underline{125} - 49 = \underline{76}$

2. 492   3. 309

4. 346   5. 682

6. 334   7. 204

   Destreza de razonamiento: Identificar patrones y relaciones

   Estrategia: Hallar un patrón

8. 11; 16; 22   9. 26; 37; 50

10. 32; 64; 128

Capítulo 3

Lección 3.1

1. 4,999   2. 2,779

3. 7,896   4. 8,798

5. 3,746   6. 4,678

7. 5,558   8. 5,869

9. 7,989   10. 4,678

11. 8086   12. 7,937

13. 5,404   14. 8,139

15. 9,824   16. 6,836

Lección 3.2

1. 12 centenas = 1 millar y 2 centenas

2. 14 centenas = 1 millar y 4 centenas

3. 16 centenas = 1 millar y 6 centenas

4. 18 centenas = 1 millar y 8 centenas

5. 13 centenas = 1 millar y 3 centenas

6. 3,459   7. 4,119

8. 7,465   9. 9,219

10. 8,559   11. 9,789

12. 6,384   13. 9,459

14. 9,298   15. 9,789

Lección 3.3

1. 1,433   2. 1,234
3. 1,525   4. 1,515
5. 6,634   6. 7,320
7. 9,065   8. 8,218
9. 9,173   10. 9,224
11. 6,413   12. 6,212
13. 8,455   14. 8,312
15. 9,232   16. 6,642
17. 8,211   18. 5,110
19. $1,346 + $452 = $1,798
    Durai pagó $1,798 en total.
20. 1,253 + 1,624 = 2,877
    Hay 2,877 estudiantes.
21. 1,034 + 242 = 1,276
    El señor Li tiene 1,276 ovejas.
22. $1,008 + $1,860 = $2,868
    El señor George gastó $2,868
    en el TV de plasma.
23. 2486 + 3,787 = 6,273
    Se recolectaron 6,273 regalos en total.
24. 4,767 + 4,594 = 9,361
    La biblioteca tiene 9,361 libros.
25. 4,857 + 256 = 5,113
    Hay 5,113 pollos y patos en la granja.
26. 1,464 + 1,867 = 3,331
    El panadero horneó 3,331 panecillos el domingo.

¡Ponte la gorra de pensar!

1. 120; 80   2. 160; 30
3. Destrezas de razonamiento: Identificar patrones y relaciones, Comparar

   Las respuestas variarán.
   Ejemplo:

7	4	5

		3

8	2	6

		1

		9

4. a.
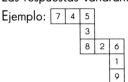

b.

$$\begin{array}{r} 7,6\,5\,1 \\ +\;2,3\,4\,0 \\ \hline 9,9\,9\,1 \end{array}$$

5. Destreza de razonamiento: Identificar patrones y relaciones

   Estrategias: Adivinar y comprobar, Hacer una lista
   Usa 3 dígitos para formar 19.
   2 + 8 + 9 = 19
   3 + 7 + 9 = 19
   4 + 6 + 9 = 19
   El número de 3 dígitos es mayor que 500.
   El dígito de las decenas es el dígito mayor.
   Entonces, el dígito de las decenas es 9.
   Números posibles: 892   793   694
   La diferencia entre el dígito de las centenas
   y el dígito de las unidades es igual a 6.
   8 − 2 = 6
   7 − 3 = 4
   6 − 4 = 2
   El número en el que pensó John es 892.

Capítulo 4

Lección 4.1

1. 2,321   2. 6,352
3. 3,444   4. 2,244
5. 5,621   6. 4,031
7. 3,112   8. 3523
9. (420)   379   178   (650)
   650 − 420 = 230
10. (900)   145   (575)   165
    900 − 575 = 325

Lección 4.2

1. 16   2. 13
3. 18   4. 17
5. 12   6. 1,820
7. 3,713   8. 3,442
9. 810

Lección 4.3

1. 12   2. 15
3. 13   4. 14
5. 16   6. 19
7. 1,764   8. 4,784

9. 2,689
10. 5,388
11. 4,418
12. 3,758
13. 1,648

Lección 4.4

1. 680
2. 980
3. 4,759
4. 1,165
5. 520
6. 1,746
7. 2,414
8. 3,064
9. 3,537
10. 5,676
11. 363
12. 3,818
13. 274

P	U	E	R	C
(520)	(5,767)	(3,537)	(2,414)	(3,064)

O	E	S	P	Í	N
(3,818)	(3,537)	(363)	(520)	(1,746)	(274)

14. 4,005 − 726 = 3,279
La señora Jones necesita 3,279 lápices más.
15. $2,050 − $1,598 = $452
A Lena le quedaron $452.
16. 3,670 − 1,982 = 1,688
Hay 1,688 vacas.
17. $3,000 − $1,346 = $1,654
El señor Rojas ahorra $1,654 cada mes.
18. 5,870 − 2,570 = 3,300
La diferencia es 3,300 litros.
19. 3,058 − 1,735 = 1,323
Había 1,323 niños menos que adultos en el espectáculo.
20. 1,260 − 985 = 275
El señor Bema necesita 275 kilogramos de harina.

¡Ponte la gorra de pensar!

1. 500 − 220 = 280
280 ÷ 2 = 140
140 + 220 = 360
Los números son 140 y 360.
2. Destrezas de razonamiento: Comparar, Identificar patrones y relaciones

a.
```
  7,654
− 1,023
-------
  6,631
```

b.
```
  2,034
− 1,765
-------
   ,269
```

3. a. Puntos de Sondhi: 225 + 368 + 368 = 961
Puntos de Larry: 350 + 264 + 264 = 878
Sondhi obtuvo más puntos.
No, obtuvo menos de 1,000 puntos.
b. Estrategia: Adivinar y comprobar
Puntos de Moe: 368 + 368 + 264 = 1000
Derribó 2 gallos y 1 conejo.
4. a. Destreza de razonamiento: Comparar
Estrategias: Adivinar y comprobar, Hacer una lista
El primer dígito debe ser 7 u 8.
Lista: 7,348, 7,384, 7,438, 7,483, 7,834, 7,843 8,347, 8,374, 8,437, 8,473, 8,734, 8,743
Hay doce números de 4 dígitos mayores que 7,000.
b. El número de cuatro dígitos mayor es 8,743.
El número de cuatro dígitos menor es 7,348.
8,743 − 7,348 = 1,395
La diferencia es 1,395.

Capítulo 5

Lección 5.1 (Parte 1)

1.
2,300 − 1,675 = 625
El pato es 625 gramos más pesado que el pollo.

2.
5,470 + 3,860 = 9,330
Los dos corrieron 9,330 metros en total.

3.

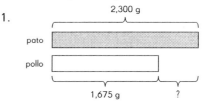

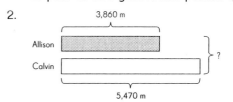

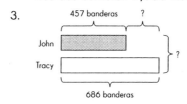

a. 457 + 686 = 1,143

Vendieron 1,143 banderas en total.

b. 686 − 457 = 229

Tracy. Vendió 229 banderas más que John.

4.

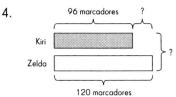

a. 120 − 96 = 24

Zelda hizo 24 marcadores de libro más que Kiri.

b. 96 + 120 = 216

Hicieron 216 marcadores de libro en total.

5.

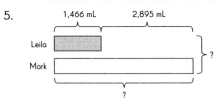

a. 1,466 + 2,689 = 4,361

Mark bebe 4,361 mililitros de agua.

b. 1,466 + 4,361 = 5,827

Beben 5,827 mililitros de agua en total.

6.

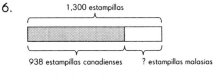

a. 1,300 − 938 = 362

Brad tiene 362 estampillas malasias.

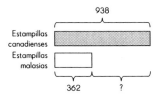

b. 938 − 362 = 576

Tiene menos estampillas malasias.
Tiene 576 estampillas malasias menos que canadienses.

7.

a. El juego de comedor cuesta menos.

b. $2,500 − $1,999 = $501

Cuesta $501 menos.

Lección 5.1 (Parte 2)

1.

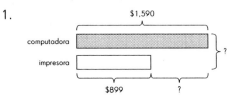

a. $1,590 − $899 = $691

La impresora cuesta $691 menos que la computadora.

b. $1,590 + $899 = $2,489

Los dos objetos cuestan $2,489 en total.

2.

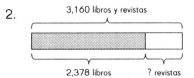

a. 3,160 − 2,378 = 782

Hay 782 revistas.

b.

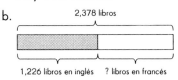

2,378 − 1,226 = 1,152

Hay 1,152 libros en francés.

3.

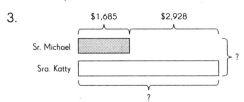

a. $1,685 + $2,928 = $4,613

La señora Katty tiene $4,613.

b. $1,685 + $4,613 = $6,298

Tienen $6,298 en total.

4.

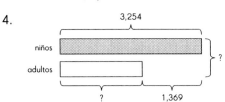

a. 3,254 − 1,369 = 1,885

Hay 1,885 adultos en el concierto.

b. 3,254 + 1,885 = 5,139

Hay 5,139 personas en total en el concierto.

Lección 5.1 (Parte 3)

1.

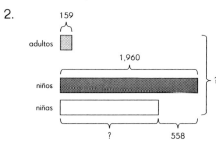

2,786 canicas   4,354 canicas

Jane — Bolsa B — Bolsa D — ?

Karen — Bolsa E

5,588 canicas   ?

a. $2,786 + 4,354 = 7,140$
Jane tiene más canicas.

b. $7,140 - 5,588 = 1,552$
Tiene 1,552 canicas más.

2.

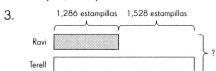

159

adultos

1,960

niños

niñas

?   558

$1,960 - 558 = 1,402$
Hay 1,402 niñas.
$159 + 1,960 + 1,402 = 3,521$
Hay 3,521 personas en la escuela.

3.

1,286 estampillas   1,528 estampillas

Ravi

Terell

?

$1,286 + 1,528 = 2,814$
Terell tiene 2,814 estampillas.
$1,286 + 2,814 = 4,100$
Tienen 4,100 estampillas en total.

¡Ponte la gorra de pensar!

1. Destreza de razonamiento: Analizar las partes y el entero

Solución: Las respuestas variarán.

Ejemplo:

```
  1  8  9
  2  6  7
+ 5  4  3
-----------
  9  9  9
```

2. Estrategia: Usar un modelo

Solución:

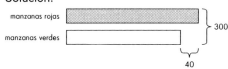

manzanas rojas

manzanas verdes

300

40

$300 - 40 = 260$
$260 \div 2 = 130$
Teresa tiene 130 manzanas verdes.

3. Estrategias: Adivinar y comprobar, Hacer una lista
El número es mayor que 8,000.
El primer dígito es 8 ó 9.
La suma del dígito de los millares y el dígito de las decenas es igual a 10.
9 _____ 1 _____ u 8 _____ 2 _____
La suma de todos los dígitos es igual a 16.
$9 + 1 + 6 + 0 = 16$
$9 + 1 + 4 + 2 = 16$
$8 + 2 + 6 + 0 = 16$
$8 + 2 + 4 + 2 = 16$
La diferencia entre el dígito de las centenas y el dígito de las unidades es igual a 6.
9,610   9,016   8,620   8,026
La diferencia entre el dígito de los millares y el dígito de las centenas es igual a 3.
$9 - 6 = 3$ $9 - 0 = 9$
$8 - 6 = 2$ $8 - 0 - 8$
El número que pensó Tashi es 9,610.

Preparación para la prueba de los Capítulos 1 a 5

1. D   2. B   3. D
4. A   5. B   6. D
7. C   8. D   9. B
10. D
11. seis mil novecientos noventa y nueve
12. 200   13. las decenas
14. 5,625   15. 3,078
16. 3,333   17. 530
18. 333   19. 455
20. 284 ó 356 ó 428

21.

320 conchas marinas

140	90	?
Fiona	Meena	Jacob

$140 + 90 = 230$
$320 - 230 = 90$
Jacobo recibió 90 conchas marinas.

22.

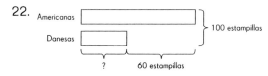

Americanas

Danesas

100 estampillas

?   60 estampillas

$100 - 60 = 40$
$40 \div 2 = 20$
Kerrie tiene 20 estampillas danesas.

23.

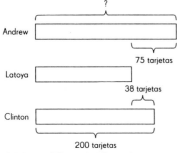

$200 - 38 = 162$
Latoya tiene 163 tarjetas.
$162 + 75 = 237$
Andrew tiene 237 tarjetas.

24. Las respuestas variarán.
Ejemplo:
a. Ambos números son números de 4 dígitos.
b. En 5,726, el valor del dígito 7 es 700.
En 5,672, el valor del dígito 7 es 70.

Capítulo 6

Lección 6.1

1. 9; número impar

2. 12, número par

3. 18; número par

4. 23; número impar

5. 28; número par

6. 37; número impar

7. Números impares: 17, 39, 43, 41, 15
Números pares: 26, 32, 48, 50, 54

8. 2, 4, 8, 10, 12, 14, 16
Números pares

9. 3, 6, 9, 12, 15, 18, 21
Los números impares y números pares
están alternados.

10. 4, 8, 12, 16, 20, 24, 28
Números pares

11. 5, 10, 15, 20, 25, 30, 35
Los números impares y números pares
están alternados.

12. 10, 20, 30, 40, 50, 60, 70
Números pares

13. a.

Números impares		
7,845	4,875	8,745
7,485	4,785	8,475
5,847	4,857	8,547
5,487	4,587	8,457

b.

Números pares		
7,854	5,874	8,754
7,584	5,784	8,574
7,458	5,748	4,578
7,548	5,478	4,758

14. a. 7,603   b. 7,630
c. 3,067   d. 3,076

15. a. 95   b. 40
c. 985   d. 958
e. 405   f. 408
g. 9,854   h. 4,059

16. $9 \times 3 = 27$ 17. $7 \times 5 = 35$

18. $6 \times 4 = 24$ 19. $8 \times 10 = 80$

20. 16   21. 16

22. 0   23. 18

24. 28   25. 40

26. 60   27. 21

28. $4 \times \underline{5} = \underline{5} \times 4 = 20$

29. $\underline{8} \times 3 = 3 \times \underline{8} = 24$

30. $10 \times \underline{9} = \underline{9} \times 10 = 90$

31. $\underline{9} \times 5 = 5 \times \underline{9} = 45$

32. $\underline{8} \times 2 = 16$ 33. $\underline{9} \times 3 = 27$

34. $4 \times \underline{9} = 36$ 35. $5 \times \underline{5} = 25$

Lección 6.2

1. a. 18; 30   b. 48; 54; 60

2. a. 12   b. 24
c. 36   d. 48
e. 3   f. 7
g. 9, 54   h. 6, 6

3. a. 5
b. $7 \times 6 = \underline{42}$; $7 \times 6 = 5 \times 6 + \underline{2} \times 6$
c. 2; 4; $12 + 24 = \underline{2} \times 6 + \underline{4} \times 6$; 6; 36
d. 3; 6; 3

4. $4 \times 6 = 24$
Los cuatro niños tienen 24 lápices en total.

5. $8 \times 6 = 48$
Tiene 48 aves en 8 jaulas.

6. $7 \times 6 = 42$
Jason puede hacer 42 marcadores de libro
en 7 horas.

7. $9 \times \$6 = \$54$
Nueve muñecas cuestan $54.

Lección 6.3

1. $6 \times 7 = 42$
   ó $7 \times 6 = 42$

2. $8 \times 7 = 56$
   ó $7 \times 8 = 56$

3. 14

4. 28

5. 35

6. 56

7. 7

8. 9

9. 3, 3

10. 0, 0

11. 4

12. 3

13. $6 \times 7 = 42$
    Hay 42 niños en seis equipos.

14. $36 + 6 = 42$
    $6 \times 7 = 42$
    El número es 6.

Lección 6.4

1. 24; 32; 40

2. 48; 56; 64; 80

3.

$\times$	1	3	5	9	8	7	4	6	10
8	8	24	40	72	64	56	32	48	80

4. 8; 16

5. 7

6. 5; 5

7. 5; 5; 80

8. $7 \times \$8 = \$56$
   Keenan gasta $56 en una semana.

9. $9 \times 8 = 72$
   La señora Li regaló 72 libros de cuentos en total.

Lección 6.5

1.

$\times$	1	3	5	9	8	7	4	6	10
9	9	27	45	81	72	63	36	54	90

2. $9 \times 9 = 5$ grupos de $9 + \underline{4}$ grupos de 9
   $= \underline{45} + \underline{36}$
   $= \underline{81}$
   Ó
   $9 \times 9 = 10$ grupos de $9 - \underline{1}$ grupo de 9
   $= \underline{90} - \underline{9}$
   $= \underline{81}$

3. $9 \times \$4 = \$36$
   Pam pagó $36 en total.

4. $56 + 7 = 63$
   $7 \times 9 = 63$
   El número es 7.

Lección 6.6

1.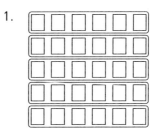

   6; 6

2.

   8; 8

3.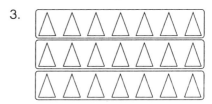

   7; 7

4.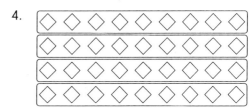

   9; 9

5. 8; 8

6. 9; 9

7. 6; 6

8. 7; 7

9.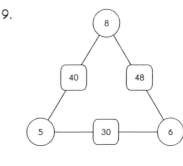

   $5 \times 8 = 40$
   $40 \div 5 = 8$
   $40 \div 8 = 5$
   $6 \times 8 = 48$
   $48 \div 8 = 6$
   $48 \div 6 = 8$
   $5 \times 6 = 30$
   $30 \div 5 = 6$
   $30 \div 6 = 5$

10.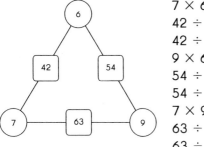

$7 \times 6 = 42$
$42 \div 7 = 6$
$42 \div 6 = 7$
$9 \times 6 = 54$
$54 \div 6 = 9$
$54 \div 9 = 6$
$7 \times 9 = 63$
$63 \div 7 = 9$
$63 \div 9 = 7$

11. $54 \div 6 = 9$
Hay 9 adhesivos en cada álbum.

12. $42 \div 7 = 6$
En cada florero hay 6 flores.

13. $72 \div 8 = 9$
Cada cubo contiene 9 litros de agua.

14. $81 \div 9 = 9$
Cada capítulo tiene 9 páginas.

15. $6 + 1 = 7$
$35 \div 7 = 5$
Cada niño recibió 5 galletas.

Lección 6.7

1. 8; 8
2. 3; 3
3. 8
4. 7
5. 8
6. 9
7. $63 \div 7 = 9$
Hay 9 botes.
8. $48 \div 6 = 8$
Hay 8 grupos.
9. $56 \div 8 = 7$
Marco tiene 7 cajas de marcadores.

¡Ponte la gorra de pensar!

Estrategia: Hacer una lista
1. a. $6 + 4 = 10$
$7 + 3 = 10$
$8 + 2 = 10$
$9 + 1 = 10$
El dígito de las decenas es mayor que el dígito de las unidades.
Números posibles: 64, 73, 82, 91
El número se puede dividir exactamente entre 8.
Es mayor que 50 pero menor que 81.
El primer número de Nicole es 64.
    b. $6 + 0 = 6$
$5 + 1 = 6$
$4 + 2 = 6$
El dígito de las decenas es mayor que el dígito de las unidades.
Números posibles: 60, 51, 42

Se puede dividir exactamente entre 6 ó 7.
Es menor que la mitad de 100.
El segundo número de Nicole es 42.

2. Destreza de razonamiento: Identificar patrones y relaciones

Estrategia: Hallar un patrón

a.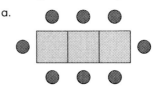

8 niños pueden sentarse alrededor de las mesas.

b.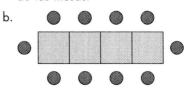

10 niños pueden sentarse alrededor de las mesas.

c.

Número de mesas	Número de niños	Patrón
1	4	$1 \times 2 + 2 = 4$
2	6	$2 \times 2 + 2 = 6$
3	8	$3 \times 2 + 2 = 8$
4	10	$4 \times 2 + 2 = 10$
10	22	$10 \times 2 + 2 = 22$

22 niños pueden sentarse alrededor de 10 mesas.
Observa un patrón para hallar la respuesta.

Capítulo 7

Lección 7.1

1. 12
2. 35
3. 18
4. 24
5. 42
6. 36
7. 30
8. 40
9. 54
10. 49
11. 64
12. 81
13. 24; 240
14. 24; 2,400
15. 56; 560
16. 56; 5,600
17. 45; 450
18. 45; 4,500
19. 120
20. 1,200
21. 200
22. 2,000
23. 320
24. 3,200
25. 450
26. 4,500
27. 360
28. 3,600
29. 640
30. 6,400

31. 210

32. 2,100

33. 630

34. 6,300

35. 160

36. 1,600

37. 360

38. 3,600

39. 810

40. 8,100

Lección 7.2

1. 2 unidades × 4 = 8 unidades
   2 decenas × 4 = 8 decenas

   $$\begin{array}{r} 2\,2 \\ \times\quad 4 \\ \hline \boxed{8\,8} \end{array}$$

2. 1 unidad × 3 = 3 unidades
   3 decenas × 3 = 9 decenas

   $$\begin{array}{r} 3\,1 \\ \times\quad 3 \\ \hline \boxed{9\,3} \end{array}$$

3. 3 unidades × 2 = 6 unidades
   4 decenas × 2 = 8 decenas

   $$\begin{array}{r} 4\,3 \\ \times\quad 2 \\ \hline \boxed{8\,6} \end{array}$$

4. 1 unidad × 6 = 6 unidades
   1 decena × 6 = 6 decenas

   $$\begin{array}{r} 1\,1 \\ \times\quad 6 \\ \hline \boxed{6\,6} \end{array}$$

5. 1 unidad × 3 = 3 unidades
   2 decenas × 3 = 6 decenas
   3 centenas × 3 = 9 centenas

   $$\begin{array}{r} 3\,2\,1 \\ \times\quad 3 \\ \hline \boxed{9\,6\,3} \end{array}$$

6. 4 unidades × 2 = 8 unidades
   2 decenas × 2 = 4 decenas
   3 centenas × 2 = 6 centenas

   $$\begin{array}{r} 3\,2\,4 \\ \times\quad 2 \\ \hline \boxed{6\,4\,8} \end{array}$$

7. 486

8. 488

9. 808

10. 550

11. 700

12. 909

13. 44 × 2 = 88
    Se regalaron 88 recuerdos.

14. 21 × 4 = 84
    La maestra Rita usó 84 flores.

15. 32 × 3 = 96
    Allen preparó 96 sándwiches.

16. $204 × 2 = $408
    La señora Tay pagó $408 por los escritorios.

Lección 7.3

1. **Paso 1** Multiplica las unidades por 4.
   6 unidades × 4 = 24 unidades
   Reagrupa las unidades.
   24 unidades = 2 decenas y 4 unidades

   Paso 2 Multiplica las decenas por 4.
   7 decenas × 4 = 28 decenas
   Suma las decenas.

   28 decenas + 2 decenas = 30 decenas
   Reagrupa las decenas.
   30 decenas = 3 centenas y 0 decenas

   Paso 3 Multiplica las centenas por 4.
   1 centena × 4 = 4 centenas
   Suma las centenas.
   4 centenas + 3 centenas
   = 7 centenas
   Entonces, 176 × 4 = 704.

2. **Paso 1** Multiplica las unidades por 3.
   5 unidades × 3 = 15 unidades
   Reagrupa las unidades.
   15 unidades = 1 decena y 5 unidades

   Paso 2 Multiplica las decenas por 3.
   4 decenas × 3 = 12 decenas
   Suma las decenas.
   12 decenas + 1 decena = 13 decenas
   Reagrupa las decenas.
   13 decenas = 1 centena y 3 decenas

   Paso 3 Multiplica las centenas por 3.
   2 centenas × 3 = 6 centenas
   Suma las centenas.
   6 centenas + 1 centena
   = 7 centenas
   Entonces, 245 × 3 = 735.

3. **Paso 1** Multiplica las unidades por 4.
   7 unidades × 4 = 28 unidades
   Reagrupa las unidades.
   28 unidades = 2 decenas y 8 unidades

   Paso 2 Multiplica las decenas por 4.
   4 decenas × 4 = 16 decenas
   Suma las decenas.
   16 decenas + 2 decenas = 18 decenas
   Reagrupa las decenas.
   18 decenas = 1 centena y 8 decenas

   Paso 3 Multiplica las centenas por 4.
   1 centena × 4 = 4 centenas
   Suma las centenas.
   4 centenas + 1 centena
   = 5 centenas
   Entonces, 147 × 4 = 588.

4. 716

5. 835

6. 938

7. 912

8. 998

9. 940

10. 538

11. 716

12. 984

13. 635

14. 882

15. 925

16. $285 × 3 = $855
    Yiyí ahorrará $855 en tres años.

17. $458 \times 2 = 916$
Jessie importó 916 rosas en dos meses.
18. $164 \times 6 = 984$
Rafi horneó 984 refrigerios en 6 días.

¡Ponte la gorra de pensar!

1. a.
$$\begin{array}{r} \boxed{1}\,\boxed{6} \\ \times \quad \boxed{7} \\ \hline 1\ \ 1\ \ 2 \end{array}$$
b.
$$\begin{array}{r} \boxed{2}\,\boxed{8} \\ \times \quad \boxed{4} \\ \hline 1\ \ 1\ \ 2 \end{array}$$

c.
$$\begin{array}{r} \boxed{5}\,\boxed{6} \\ \times \quad \boxed{2} \\ \hline 1\ \ 1\ \ 2 \end{array}$$

2. a.
$$\begin{array}{r} \boxed{1}\,\boxed{7} \\ \times \quad \boxed{8} \\ \hline 1\ \ 3\ \ 6 \end{array}$$
b.
$$\begin{array}{r} \boxed{3}\,\boxed{4} \\ \times \quad \boxed{4} \\ \hline 1\ \ 3\ \ 6 \end{array}$$

c.
$$\begin{array}{r} \boxed{6}\,\boxed{8} \\ \times \quad \boxed{2} \\ \hline 1\ \ 3\ \ 6 \end{array}$$

3. Estrategia: Hacer una lista
a. Números de 3 dígitos posibles
(cada dígito se usa solo una vez):
568, 586, 658, 685, 856, 865
Hay 6 números de tres dígitos.
b. Números de 3 dígitos posibles
(se puede usar cada dígito más de una vez):

555,	666,	888,
556,	665,	855,
565,	656,	866,
558,	668,	856,
585,	686,	865,
566,	655,	885,
588,	688,	886,
568,	685,	858,
586,	658,	868

$9 \times 3 = 27$

Hay 27 números de 3 dígitos.

4. a.
$$\begin{array}{r} \boxed{6}\,\boxed{5}\,\boxed{4} \\ \times \quad\quad \boxed{8} \\ \hline 5,\ 2\ \ 3\ \ 2 \end{array}$$

b.
$$\begin{array}{r} \boxed{5}\,\boxed{6}\,\boxed{8} \\ \times \quad\quad \boxed{4} \\ \hline 2,\ 2\ \ 7\ \ 2 \end{array}$$

Capítulo 8

Lección 8.1

1.	8; 8	2.	9; 9
3.	8; 8	4.	6; 6
5.	7; 7	6.	9; 9
7.	8; 8	8.	9; 9
9.	7; 7	10.	9; 9
11.	36; 4; 40	12.	8; 2; 200
13.	6	14.	60
15.	3	16.	30
17.	4	18.	40
19.	40	20.	60
21.	70	22.	80
23.	90	24.	80

Lección 8.2

1. 23 unidades $\div 4 = \underline{5}$ R $\underline{3}$
Cociente $= \underline{5}$ unidades
Residuo $= \underline{3}$ unidades
Cada niño tiene $\underline{5}$ adhesivos.
Quedan $\underline{3}$ adhesivos como resto.

2. 26 unidades $\div 6 = \underline{4}$ R $\underline{2}$
Cociente $= \underline{4}$ unidades
Residuo $= \underline{2}$ unidades
Cada amigo tiene $\underline{4}$ porciones de pizza.
Quedan $\underline{2}$ porciones de pizza como resto.

3.	4 R 7	4.	8 R 3
5.	6 R 5	6.	8 R 4
7.	8 R 4	8.	7 R 7
9.	10 R 3	10.	8 R 2
11.	9 R 1	12.	7 R 4

Lección 8.3

1.	21 (L)	2.	12 (N)
3.	34 (O)	4.	33 (I)
5.	22 (K)	6.	10 (R)
7.	32 (S)	8.	11 (T)

9. 43 (A)   10. 23 (E)

11. 41 (M)   12. 20 (C)

$$\frac{E}{(23)}\frac{L}{(21)}\ \frac{C}{(20)}\frac{A}{(43)}\frac{R}{(10)}\frac{A}{(43)}\frac{C}{(20)}\frac{O}{(34)}\frac{L}{(21)}$$

13. $63 \div 3 = 21$

Hay 21 refrigerios en cada frasco.

14. $80 \div 8 = 10$ sillas

Hay 10 sillas en cada hilera.

Lección 8.4

1. 14 (A)   2. 14 (A)

3. 17 (O)   4. 42 (T)

5. 12 (Ñ)   6. 13 (E)

7. 14 (A)   8. 15 (Y)

9. 18 (S)   10. 16 (R)

11. 24 (G)   12. 14 (A)

$$¡\frac{E}{(13)}\frac{S}{(18)}\ \frac{G}{(24)}\frac{A}{(14)}\frac{T}{(42)}\frac{O}{(17)}\frac{Y}{(15)}$$

$$\frac{A}{(14)}\frac{R}{(16)}\frac{A}{(14)}\frac{Ñ}{(12)}\frac{A}{(14)}!$$

13. $72 \div 3 = 24$

El dueño de la tienda vendió 24 ciruelas en un día.

14. $64 \div 4 = 16$

Hay 16 sillas en cada círculo.

¡Ponte la gorra de pensar!

1. Destreza de razonamiento: Identificar patrones
y relaciones

Estrategias: Adivinar y comprobar, Hacer una lista

Los números divisibles entre 5 terminan en 5 ó 0.

Haz una lista de números pares. Comprueba si es divisible entre 9.

Números pares	Divisible entre 9
310	✗
320	✗
330	✗
340	✗
350	✗
360	✓
370	✗
380	✗
390	✗

Sharon está pensando en el número 360.

2. Destreza de razonamiento: Identificar patrones
y relaciones

Estrategias: Adivinar y comprobar, Hacer una lista

Si la abuelita da 6 adhesivos

Número de adhesivos dados	Número de adhesivos que quedan	Número de adhesivos al principio
6	5	11
12	5	17
18	5	23
24	5	29
30	5	35
36	5	41
42	5	47

Si la abuelita da 7 adhesivos

Número de adhesivos dados	Número de adhesivos que necesita	Número de adhesivos al principio
7	2	5
14	2	12
21	2	19
28	2	26
35	2	33
42	2	40
49	2	47

a. La abuelita tiene 47 adhesivos.

b. $42 \div 6 = 7$

$49 \div 7 = 7$

La abuelita tiene 7 nietos.

3. Estrategia: Hacer una lista

Haz una lista de los números impares de 2 dígitos entre 50 y 100 que se pueden dividir entre 7:

56, 63, 77, 91

La diferencia entre los dígitos es igual a 3.

$6 - 3 = 3$

El número es 63.

4. Estrategia: Hacer una lista

Haz una lista de los números impares de 2 dígitos menores que 50 que se pueden dividir exactamente entre 5:

15, 25, 35, 45

La suma de los dígitos es igual a 9.

$4 + 5 = 9$

El número es 45.

Capítulo 9

Lección 9.1

1.

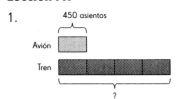

$450 \times 4 = 1,800$
Hay 1,800 asientos en el tren.

2.

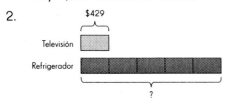

$\$429 \times 5 = \$2,145$
El refrigerador cuesta $2,145.

3.

$329 \times 9 = 2,961$
La ciudad Z está a 2,961 kilómetros de la ciudad Y.

4.

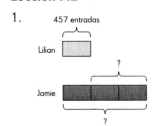

$965 \times 8 = 7,720$
Hay 7,720 canicas en el recipiente.

Lección 9.2

1.

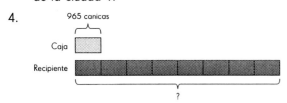

a. $457 \times 3 = 1,371$
   Rohani vendió 1,371 entradas.
b. $1,371 - 457 = 914$
   Lilian vendió 914 entradas menos que Rohani.

2.

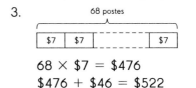

$27 \times 3 = 81$
$500 - 81 = 419$
Les quedaron 419 paquetes de semillas.

3.

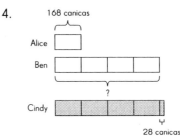

$68 \times \$7 = \$476$
$\$476 + \$46 = \$522$
La señora Johnson pagó $522 por los postes y el alambre.

4.

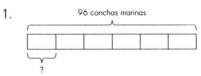

28 canicas

a. $168 \times 4 = 672$
   Ben tiene 672 canicas.
b. $672 + 28 = 700$
   Cindy tiene 700 canicas.

Lección 9.3

1.

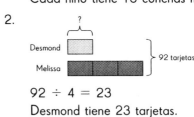

$96 \div 6 = 16$
Cada niño tiene 16 conchas marinas.

2.

$92 \div 4 = 23$
Desmond tiene 23 tarjetas.

3.

$\$95 \div 5 = \$19$
Lynette pagó $19 por el monedero.

4.

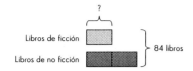

$84 \div 3 = 28$

Hay 28 libros de ficción en el estante.

Lección 9.4

1.

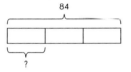

$38 + 46 = 84$

Sophia prepara 84 emparedados en total.

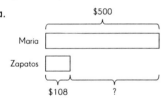

$84 \div 3 = 28$

Hay 28 emparedados en cada fuente.

2. a.

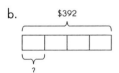

$\$500 - \$108 = \$392$

María les dio $392 a sus 4 sobrinas.

b.

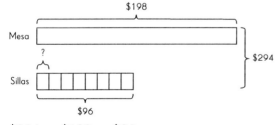

$\$392 \div 4 = \$98$

Cada sobrina recibió $98.

3.

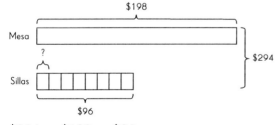

$\$294 - \$198 = \$96$

$\$96 \div 8 = \$12$

Cada silla costó $12.

4.

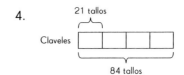

$21 \times 4 = 84$

El florista compra 84 claveles.

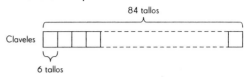

$84 \div 6 = 14$

Hay 14 ramos de claveles.

5.

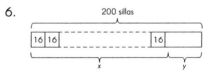

a. $15 \times 2 = 30$

Kenny horneó 30 galletas.

$30 + 12 = d$

$d = 42$

Cynthia horneó 42 galletas.

b. $15 + 30 + 42 = e$

$e = 87$

Los tres niños hornearon 87 galletas en total.

6.

$16 \times 10 = x$

$x = 160$

Quedan 160 sillas después de que Michael quitó algunas.

$200 - 160 = y$

$y = 40$

Michael quitó 40 sillas.

7.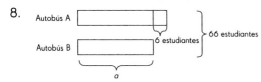

$50 + $70 = g

g = $120

Matthew y May tenían $120 en total al principio.

$120 ÷ 4 = f

f = $30

Matthew tenía $30 al principio.

8.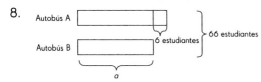

66 − 6 = 60

60 ÷ 2 = a

a = 30

Hay 30 estudiantes en el Autobús B.

30 + 2 = 32

Hay 32 estudiantes y maestros en el Autobús B.

¡Ponte la gorra de pensar!

1. a. 180 + 90 = 270

Se vendieron 270 juguetes en febrero.

b. 270 × 3 = 810

Se vendieron 810 juguetes en marzo.

c. 810 − 320 = 490

Se vendieron 490 juguetes en abril.

d. 180 + 270 + 810 + 490 = 1,750

Se vendieron 1,750 juguetes durante los cuatro meses.

2. 135 − 37 = 98

98 ÷ 2 = 49

49 + 37 = 86

Teresa hizo 86 insignias.

3. $8 × 3 = $24

$5 − $3 = $2

$2 → 1 día

$24 → 12 días

$5 × 12 = $60

$60 + $8 = $68

Cada niño tenía $68 al principio.

4. Destreza de razonamiento: Identificar patrones y relaciones

a.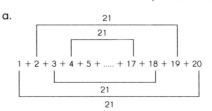

Hay 10 pares de números.

Cada par de números tiene una suma de 21. Entonces,

1 + 2 + 3 + 4 + 5 + ... + 17 + 18 + 19 + 20

= 21 × 10

= 210

b.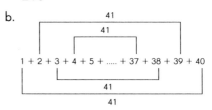

Hay 20 pares de números.

Cada par de números da 41 como resultado. Entonces,

1 + 2 + 3 + 4 + 5 + ... + 37 + 38 + 39 + 40

= 41 × 20

= 820

c.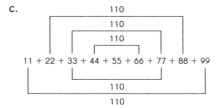

Cada par de números suma 110. Entonces,

11 + 22 + 33 + 44 + 55 + 66 + 77 + 88 + 99

= 110 × 5 + 55

= 550 + 55

= 605

5. a. 2 ó 5   b. 1, 3, 5, 7 ó 9

c. 0 ó 5   d. 2, 5 ó 8

e. 2 ó 6   f. 0, 2, 4, 6 ó 8

g. 8   h. 2, 4, 6 ó 8

i. 6   j. 1

Preparación para la prueba semestral

1. B	2. C	3. A	4. C
5. D	6. C	7. C	8. D
9. D	10. B	11. D	12. B
13. D	14. D	15. D	16. D
17. A	18. B	19. A	20. C

21. 5,609   22. 700

23. 992   24. 13

25. 7,634   26. 4,571

27. 120   28. 620

29. 683   30. 14

31. 23   32. 676

33. 34, 55   34. 5,050

35. 47   36. 195

37. 47   38. 126

39. 28   40. 104

41. 148 + 65 = 213
    148 + 213 = 361
    La cafetería vendió 361 emparedados
    y pastelitos.

42. 165 − 87 = 78
    78 ÷ 6 = 13
    Cada vecino recibió 13 pastelitos.

43. 37 × 4 = 148
    Bobby tiene 148 libros.
    148 − 69 = 79
    Clara tiene 79 libros.

44. 96 ÷ 4 = 24
    La florista vendió 24 azucenas.
    24 + 78 = 102
    La florista vendió 102 claveles.

45.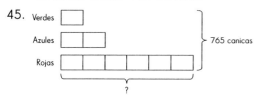

    765 ÷ 9 = 85
    85 × 6 = 510
    Hay 510 canicas rojas en la caja.